P9-BJF-860

35 МОДНЫХ ПРОЕКТОВ
дизайнерской джинсовой одежды

ЭЛИСОН СПАНЬОЛ

МОСКВА

ЭКСМО
издательство

2008

Спаньол Э.

С 71   35 модных проектов дизайнерской джинсовой одежды / Элисон Спаньол; пер. с англ. Е. Арджановой. — М.: Эксмо, 2008. — 128 с.: ил.

В этой книге вы найдете советы, как добавить индивидуальность повседневной джинсовой одежде, как придать обычным джинсам привлекательность и стиль. Вам предлагаются тридцать пять модных проектов, которые на ваших глазах создает известный английский дизайнер, используя различные декоративные техники, включая лоскутную аппликацию, вышивку, трафаретную роспись. В считаные минуты вас научат придавать новизну хорошо знакомым вещам!
Работы Элисон Спаньол продаются в магазинах дизайнерской одежды на модных улицах Лондона: Спитафилдз и Коламбия-роад, а также в частных комиссионных магазинах.
Вне зависимости от того, какого стиля в одежде вы придерживаетесь, авторские советы дадут вам дополнительную возможность реализовать свой творческий потенциал. Все, что вам потребуется, — немного материалов для шитья, смекалка и это красивое издание с пошаговыми иллюстрациями.

УДК 746
ББК 37.248

ISBN 978-5-699-28317-0

Оформление переплета *Н. Кудря*

Alison Spanyol

DECORATING DENIM

Ответственный редактор *Л. Клюшник*
Редактор *К. Митителло*
Художественный редактор *Н. Кудря*
Технический редактор *М. Печковская*
Компьютерная верстка *П. Степенко*
Корректор *Т. Павлова*

ООО «Издательство «Эксмо»
127299, Москва, ул. Клары Цеткин, д. 18/5. Тел. 411-68-86, 956-39-21.
Home page: www.eksmo.ru E-mail: info@eksmo.ru

Оптовая торговля книгами «Эксмо»:
ООО «ТД «Эксмо». 142700, Московская обл., Ленинский р-н, г. Видное,
Белокаменное ш., д. 1, многоканальный тел. 411-50-74.
E-mail: reception@eksmo-sale.ru

По вопросам приобретения книг «Эксмо» зарубежными оптовыми покупателями обращаться в ООО «Дип покет»
E-mail: foreignseller@eksmo-sale.ru

International Sales: International wholesale customers should contact «Deep Pocket» Pvt. Ltd.
for their orders. foreignseller@eksmo-sale.ru

По вопросам заказа книг корпоративным клиентам, в том числе в специальном оформлении, обращаться по тел. 411-68-59 доб. 2115, 2117, 2118. E-mail: vipzakaz@eksmo.ru

**Оптовая торговля бумажно-беловыми
и канцелярскими товарами для школы и офиса «Канц-Эксмо»:**
Компания «Канц-Эксмо»: 142702, Московская обл., Ленинский р-н, г. Видное-2,
Белокаменное ш., д. 1, а/я 5. Тел./факс +7 (495) 745-28-87 (многоканальный).
e-mail: kanc@eksmo-sale.ru, сайт: www.kanc-eksmo.ru

Подписано в печать 09.07.2008. Формат 60×84 ¹/₈.
Гарнитура «Чартер». Печать офсетная. Бумага мел. Усл. печ. л. 14,88.
Тираж 5 000 экз. Заказ 1968.

Отпечатано с электронных носителей издательства.
ОАО "Тверской полиграфический комбинат". 170024, г. Тверь, пр-т Ленина, 5.
Телефон: (4822) 44-52-03, 44-50-34, Телефон/факс: (4822)44-42-15
Home page - www.tverpk.ru Электронная почта (E-mail) - sales@tverpk.ru

СОДЕРЖАНИЕ

ВВЕДЕНИЕ

Джинсы — это, пожалуй, одна из вещей, которая есть
у каждого в гардеробе, поэтому очень сложно придать ей
индивидуальность. А может быть, у вас есть любимая пара,
которая выглядит уже немного изношенной или полностью
вытертой. Вместо того чтобы их перекладывать в мусорную
корзину, давайте попробуем применить к ним несколько идей
из этой книги.

Вовсе не обязательно тратить сумасшедшие деньги для того,
чтобы придать вашей одежде индивидуальность. Возможно,
у вас уже есть то, что нам пригодится, например различные
лоскуты, остатки, пуговицы, стразы или блестки, оставшиеся
от других рукоделий. Старая ненужная одежда, кофта или юбка
с рисунком могут стать бесконечными источниками материалов,
включая различные пуговицы, кнопки, крючки и петельки,
которые вы сможете с успехом использовать в своем творчестве.
Кроме того, вам потребуются материалы, которые вы сможете
приобрести в специализированных для рукоделия магазинах.
Если что-то и не удастся найти там, то всегда можно заглянуть
на блошиный рынок или распродажу, где всегда есть вещи из
винтажных тканей, которые вы сможете использовать, чтобы
добавить аромата старины вашей переделке. Многие из идей,
приведенных в этой книге, заключаются в комбинировании
джинсовой одежды с совершенно неожиданными материалами.
Так, нежные и мягкие текстуры шелка, атласа, кружева и замши
помогут придать нарядности обычной одежде.

Все представленные в этой книге советы помогают реализовать
идеи различной сложности от простых до самых сложных.
Представленные здесь проекты позволяют создать различные
по характеру вещи от строгих до празднично ярких, от изящных
до бесшабашно веселых. Для реализации предложенных идей
вовсе не нужно быть профессиональной портнихой. Если даже вы
что-то и не знаете, то простые пошаговые инструкции помогут вам
справиться с любой незнакомой техникой или способом шитья.

Конечно же, вы вовсе не обязаны дословно следовать
инструкциям. Возможно, у вас есть собственные идеи, полностью
отличающиеся от предложенных в этой книге. Возможности
по переделке джинсовой одежды просто неисчерпаемы,
и я надеюсь, что вы будете использовать эту книгу в качестве
отправной точки в создании собственных проектов. Для того
чтобы все получилось хорошо, вам потребуется немного
терпения, но я надеюсь, что мои предложения вдохновят вас
на творчество.

Джинсы, пожалуй, самая популярная из всех видов одежды из джинсовой ткани. Можно с уверенностью утверждать, что у каждого из нас в шкафах хранится не по одной паре! Массовость этой одежды сильно осложняет решение задачи по выделению из толпы. В следующей главе содержится множество советов о том, как можно создать индивидуальный образ с использованием простых пуговиц, блесток, стразов и тонкой вышивки.

ДЖИНСЫ

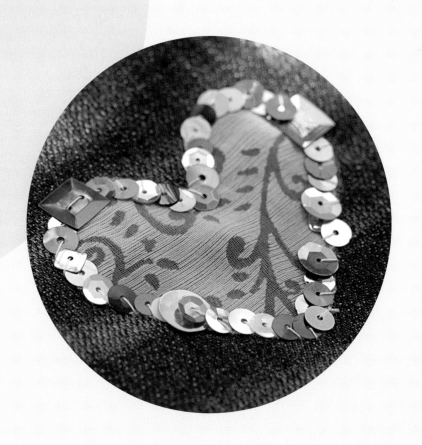

«БЭБИ ФЭЙС» (Baby face)

Благодаря украшению из бахромы с кисточками и нашитым блесткам эти джинсы вызывают образы шоу и цирка. Конечно, вы можете поменять надпись на любое другое слово, прозвище или шутку. Вне зависимости от вашего выбора старайтесь сохранить ощущение того, что надпись сделана от руки. Ваше имя может заблистать в лучах славы (ну по крайней мере в блестках!).

вам понадобится:

Шаблон на странице 126

Калька и карандаш

Портняжный мел или маркер для тканей

Лоскут розовой ткани для основы

Стразы-термоаппликации

Серебряные блестки

Лента глубокого розового цвета

Зеленая мебельная бахрома с кисточками

Материал с цветочным рисунком и нашитыми блестками

Игла и нитки

1. Увеличьте шаблон на 126 странице до желаемой величины и переведите слова на розовый материал основы (см. стр. 119). Вырежьте получившееся слово.

2. Расшейте основу серебряными блестками (см. стр. 125) и пришейте на задний карманы джинсов (см. стр. 121). Вставьте стразы в петельки букв «Y» и «F», а также несколько стразов добавьте на карман.

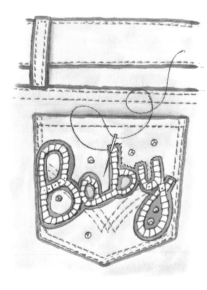

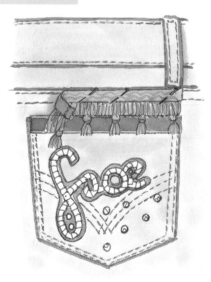

3. Пришейте потайным швом розовую ленту на верхнюю часть каждого кармана, а поверху пришейте зеленую бахрому с кисточками. Старайтесь разместить бахрому таким образом, чтобы нижний край кисточек совпадал с нижним краем ленты.

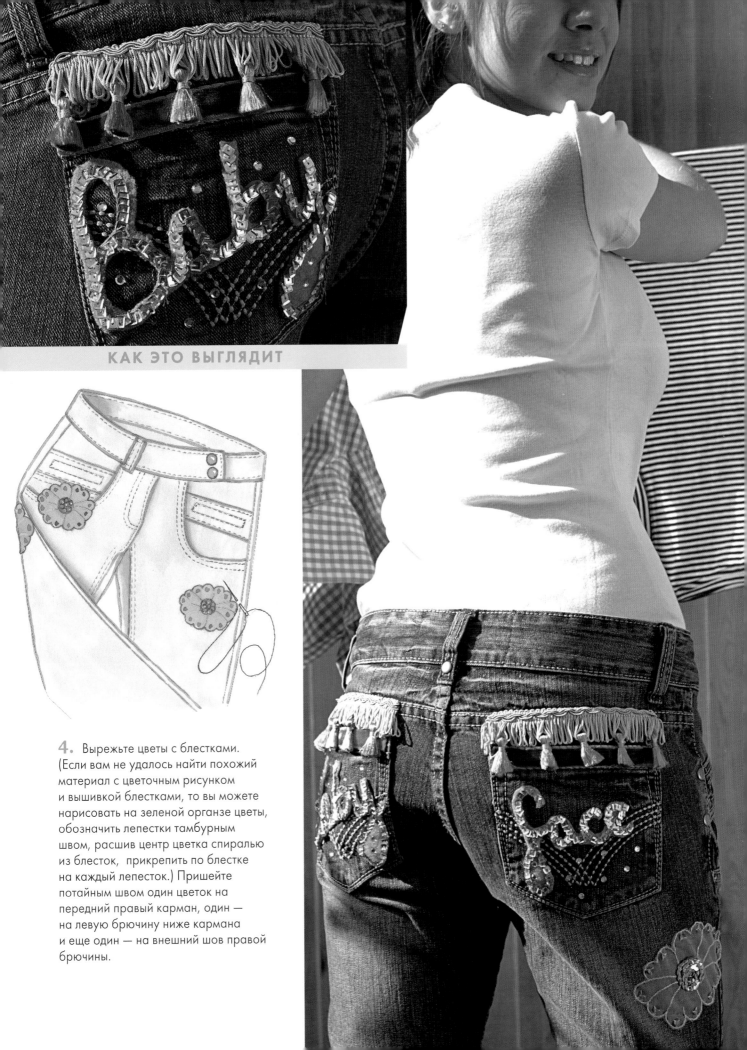

4. Вырежьте цветы с блестками. (Если вам не удалось найти похожий материал с цветочным рисунком и вышивкой блестками, то вы можете нарисовать на зеленой органзе цветы, обозначить лепестки тамбурным швом, расшив центр цветка спиралью из блесток, прикрепить по блестке на каждый лепесток.) Пришейте потайным швом один цветок на передний правый карман, один — на левую брючину ниже кармана и еще один — на внешний шов правой брючины.

ВИНТАЖНЫЙ ЦВЕТОЧНЫЙ РИСУНОК

Когда вы находите идеальную пару джинсов, то они становятся самой важной частью вашего гардероба. Этот проект поможет вам превратить свои любимые джинсы в образчик современной моды. Мне очень нравится винтажная вышивка, выполненная с такой любовью вручную много лет назад. Я предлагаю разместить кусочки вышивки с цветочным узором так, чтобы листья и цветы обвивались вокруг ног и бедер, придавая одежде изящную прелесть. Успех проекта заключается в использовании множества различных пуговиц и текстур.

вам понадобится:

Винтажная скатерть или салфетка с вышивкой
Карандаш или маркер для ткани
Игла и нити для вышивания
Различные пуговицы

1. Выберите часть вышивки, которую вы хотели бы использовать, и обведите вокруг нее контур, используя карандаш или маркер для тканей.

2. Используя нить для вышивания оттеняющего вышивку цвета, вышейте по обведенному контуру контур тамбурным швом (см. стр. 123). Осторожно вырежьте рисунок, приближаясь ножницами как можно ближе к стежкам контура.

3. Закрепите все подготовленные материалы булавками на джинсах и пришейте их оверлочным швом (см. стр. 123), стараясь попадать в места соединения звеньев шва. Пришейте несколько пуговиц к верхней части карманов и на брючины. Ваши новые джинсы готовы.

КАК ЭТО ВЫГЛЯДИТ

РОМАШКИ

Мне очень нравится, когда на джинсах используется рисунок ромашек. Этот проект очень важен, поскольку он дает вам хорошую точку отсчета для вашего творчества. Он позволяет, затратив немного сил и энергии, добиться поразительных результатов. Мягкий зеленый шелк, голубые кружева, переливающиеся жемчужины и блестки помогут создать нежный фон для ромашек на отворотах или почву для нежной вышитой ромашки, поднимающейся вверх по брючине.

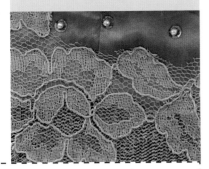

вам понадобится:

Зеленая шелковая ткань

Лоскуты голубого кружева

Кружевная ткань с объемными
    вышитыми ромашками

Золотые блестки

Жемчужные бусинки

Швейная игла

Нить такого же цвета,
    что и кружевно

Белая нить для вышивки

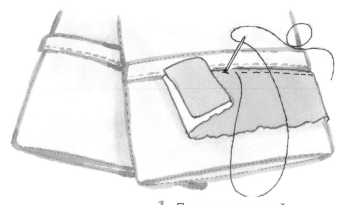

1. Подверните нижний край джинсов и закрепите в подвернутом состоянии, прошивая по боковым швам. Измерьте окружность каждой брючины внизу и вырежьте лоскут зеленой ткани соответствующей длины шириной примерно две трети от получившегося отворота. Не обметывая края, пришейте шелк к отвороту, разместив его сразу под швом. Пришивайте шелк, используя обычный шов вперед иголкой (см. стр. 120).

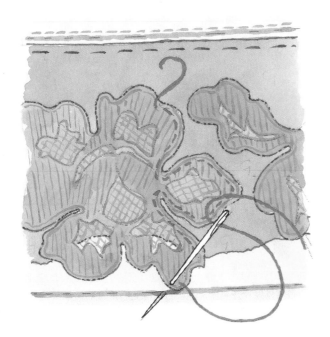

2. Вырежьте участки голубого кружева и приколите его булавками к отворотам. Используя шов вперед иголкой и нитку в цвет кружеву, пришейте кружево. Когда будете пришивать, обязательно зацепляйте иглой не только кружево, но и саму ткань джинсов.

3. Приколите, а затем пришейте еще несколько кусков голубого кружева к левому переднему карману, боковому шву и заднему карману.

4. Вырежьте три ромашки из материала. Пришейте одну к центру кружевного цветка на передней части отворотов каждой из брючин примерно в 15 сантиметрах над отворотом.

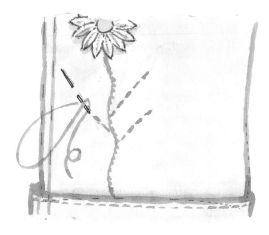

5. Белой нитью вышейте волнистую линию, используя тамбурный шов (см. стр. 123) от центра цветка на правой брючине до края отворота. Также сделайте три небольших строчки швом вперед иголкой, начинающихся от стебля и идущих вверх под углом примерно 45°.

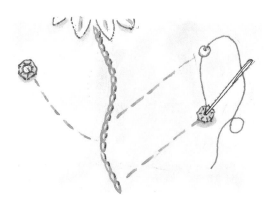

6. Пришейте золотую блестку с небольшой жемчужной бусинкой в конце каждого от боковых стебельков (см. стр. 125).

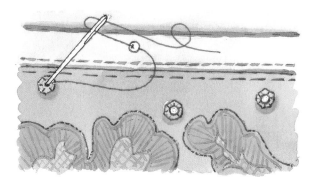

7. Пришейте еще несколько блесток и бусинок в различных местах зеленого шелка на отворотах.

Использование шелка и кружев добавляет блеска и женственности, а бусинки и блестки, разбросанные на ткани, добавляют сексуального мерцания вещам. Несмотря на то что этот проект выглядит сложным, для его реализации требуются самые минимальные навыки шитья.

ЛОСКУТНОЕ СЕРДЦЕ

Ключевым моментом этого проекта является подбор тканей. Очень важно, чтобы использованные материалы дополняли друг друга. Я использовала ткани с рисунком из отцветающих роз и карамельными полосками, светло-голубую джинсовую ткань и аппликации в форме сердца. Все использованные материалы в сочетании напоминают традиционные деревенские лоскутные вещи.

вам понадобится:

Лоскутки светло-голубой
джинсовой ткани, ткани
с цветочным рисунком
и в полоску
Нити для вышивания
контрастных цветов
Портняжные ножницы
Швейная машинка
Контрастные нити для шитья

1. Вырежьте четыре прямоугольника различного размера из тканей с цветочным рисунком и ткани в полоску. Приколите их булавками к правой брючине джинсов так, как это показано на рисунке. Левый край должен быть ровным, при этом правый край одного из лоскутов должен немного выдаваться. Это позволит получить более интересную форму рисунка. Пришейте с помощью машинки все лоскуты (вы можете пришить их и вручную, используя шов назад иголкой).

2. Вырежьте небольшой прямоугольник из старой светлой джинсовой ткани и вытяните поперечные нити по всему периметру, чтоб получилась бахрома примерно 0,5 см высотой. Сложите лоскуток пополам и вырежьте сердце.

КАК ЭТО ВЫГЛЯДИТ

3. Приколите джинсовый лоскуток с сердечком таким образом, чтобы в вырезе был виден цветочный рисунок. Мелкими стежками швом вперед иголкой (см. стр. 120) пришейте джинсовый лоскуток нитками контрастного цвета. Прошейте вдоль края сердечка, чтобы он не растрепался.

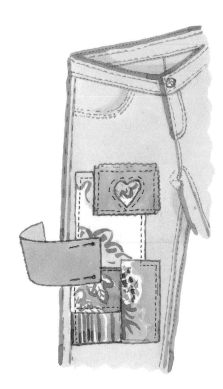

4. Вырежьте большой прямоугольник из джинсовой ткани и разлохматьте его по краям на глубину примерно в полсантиметра. Приколите его поверх лоскутного узора и бокового шва брючины так, чтобы он «обхватывал» ногу сбоку. Пришейте его швом назад иголкой (см. стр. 121), а затем вышейте ровный ряд крестиков (см. стр. 124) вдоль края поверх линии шва.

5. Приколите другие лоскуты на переднюю часть левой брючины так, как это изображено на рисунке, и вышейте волнистую линию, используя тамбурный шов (*см. стр. 123*) вдоль одного из краёв одного лоскута.

6. Вырежьте один лоскут джинсовой ткани примерно такого же размера, что и задний карман брюк. Сложите его и вырежьте сердечко (так же, как и на шаге 2). Поместите лоскут с цветочным узором под вырез. Тонкими стежками пришейте на один карман вырезанное сердце, а на другой – джинсово-цветочный лоскут. Пришивая, убедитесь в том, что вы не зашили карманы.

ПАДАЮЩИЕ ЛИСТЬЯ

Этот проект рассказывает осеннюю историю о падающих листьях, серебряных капельках дождя и синеве опавшей листвы, просвечивающей сквозь первый иней. Ваше внимание опускается вниз, куда тихо падают листья, перемешиваясь с дождем. Волнистые линии, вышитые из блесток, помогают добиться этого ощущения.

вам понадобится:

Имитации листьев розы

Блестящая и переливающаяся ткань синего цвета

Голубая объемная краска с блестками для ткани

Квадратные серебряные блестки

Игла

Оранжевые и белые нитки для шитья

Оранжевая нить для вышивания

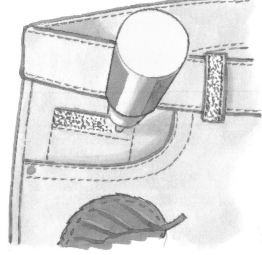

1. Используя шов вперед иголкой (*см. стр. 120*) и оранжевую нить, пришейте имитации листьев под обоими карманами, а также в нижней части правой брючины джинсов вдоль ниспадающей волнистой линии. Также разместите два листа на левой брючине. Вырежьте три-четыре листа из голубой ткани и так же пришейте их к брючине.

2. Используя голубую объемную краску для ткани, обведите края листьев из синей ткани. Это позволит не дать краям растрепаться. Проведите краской также вдоль жилок некоторых листьев-имитаций, а также проведите широкую полосу по краю кармана.

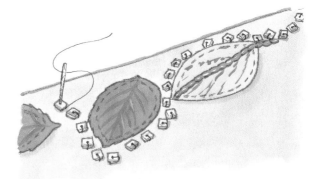

3. Используя оранжевую нить, вышейте тамбурным швом (см. стр. 123) волнистую линию по центру синих листьев.

4. Белой нитью пришейте серебряные блестки вдоль волнистой линии, проходящей сквозь каскад падающих листьев (см. стр. 125).

ЦВЕТЫ И ПЛЮЩ

Это проект начался с простых синих цветов, но продолжил расти все дальше и дальше. Мое вдохновение подсказало мне взять с бордюра викторианских открыток изображения листьев плюща и добавить немного блестящей ткани для того, чтобы добавить немного свежего, морозного ощущения. Одним из самых эффективных способов декорировать джинсы является использование объемной краски с блестками. Необходимо помнить, что, несмотря на то что сам процесс работы с краской очень быстр, важно дать ей высохнуть, а это требует много времени.

вам понадобится:

Старые синие джинсы с задними карманами

Кружева

Светло-голубая кожаная лента

5 замшевых цветочков

1 перламутровая пуговица

4 блестки в форме звездочек

4 стеклянные бусины

1 тесьма со стразами

Ткань с вышивкой из блесток

Маркер для тканей или портняжный мел

Объемные краски для тканей: синяя с блестками, белая, розовая

Тонкие ленты различных оттенков синего, фиолетового и серебряного

1. Вырежьте четыре цветочные формы различных размеров: три из старой джинсовой ткани и одну из кружева. Кружевной цветок должен быть вторым по величине. Нанесите точки синей краски на цветки из джинсовой ткани.

2. Соберите заготовки в цветок (по размеру) и прикрепите его на левую брючину сразу под карманом. Положите две длинные полоски светло-голубой кожаной ленты, перекрещенные в центре цветка (длина соответствует максимальному диаметру цветка), затем в центр положите замшевый цветочек с перламутровой пуговицей в середине. Прошейте получившийся цветок насквозь, проходя все слои ткани. Пришейте цветок к джинсам. Убедитесь, что вы закрепили также кожаные ленточки.

3. Для того чтобы закрепить цветок на джинсах, аккуратно прошейте лепестки цветов швом вперед иголка (см. стр. 120).

4. Оставшиеся четыре замшевых цветочка пришейте на левую брючину, поместив в центр каждого цветка блестку в форме звезды, а к центру блестки — стеклянную бусину.

 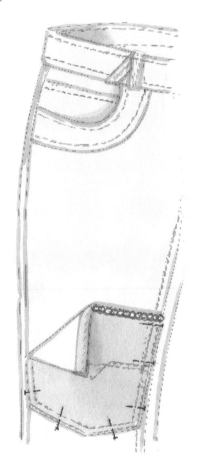

5. Отрежьте от старых джинсов задний карман. Пришейте тесьму со стразами поперек верхней части старого кармана. Швом назад иголка нитью подходящего цвета пришейте старый карман к правой брючине (см. стр. 121) на уровне середины бедра. Верхнюю часть не зашивайте.

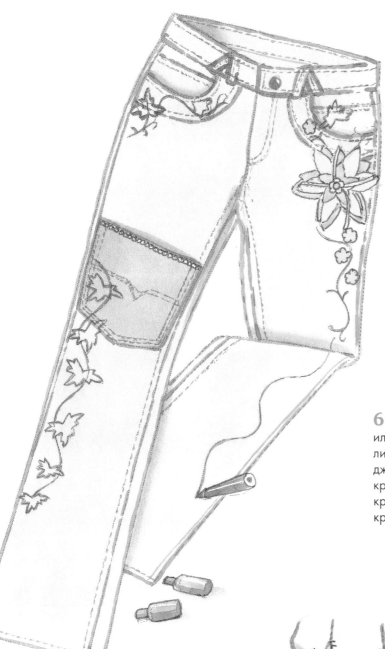

6. Используя маркер для ткани или портняжный мел, нанесите изображение листьев и стебля плюща на обе брючины джинсов. Обведите рисунок листьев белой краской для ткани, выделяя прожилки розовой краской. Зарисуйте середину листьев синей краской с блестками.

7. Распорите внешний шов обеих брючин до середины голени. Вырежьте треугольники из ткани, расшитой блестками. Закрепите треугольники булавками в полученном разрезе так, чтобы вшиваемый треугольник находился внутри брючины. Белой нитью для вышивания пришейте оверлочным швом (см. стр. 123) треугольники к краям распоротых швов. Выверните джинсы наизнанку и закрепите потайным швом края вшитой ткани на джинсах.

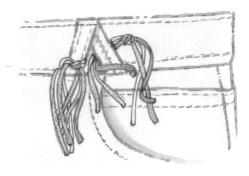

8. Для каждой шлевки вырежьте три ленты разного цвета длиной 25 сантиметров и завяжите их узлом в центре. Привяжите по одному пучку лент к каждой шлевке для того, чтобы у вас получилась бахрома.

СВЕРКАЮЩИЕ СЕРДЦА

Этот вариант оформления джинсов придает забавный и беззаботный вид, заставляя почувствовать себя молодым. Использованные для оформления сердечки очень похожи на завитушки, которые мы постоянно рисуем на пеналах, в учебниках и тетрадях. А мазки блестящей краски вокруг карманов добавляют дискотечного блеска.

вам понадобится:

Портняжный мел

Ткань с серебряными блестками

Золотые блестки

Перламутровые пуговицы

Ткань с рисунками

Разноцветные блестки

Серебряная объемная краска
    для тканей с блестками

Игла

Нити для шитья

1. Маркером для тканей или портняжным мелом нарисуйте на джинсах четыре сердечка; два маленьких в верхней части правой брючины, одно маленькое в верхней части левой брючины и одно побольше в нижней части правой брючины. Маленькими острыми ножницами вырежьте центры у трех сердец меньшего размера.

2. Положите лоскуты ткани с серебряными блестками с нижней стороны под каждое из двух вырезанных сердец на правой брючине. Пришейте лоскуты швом вперед иголкой (см. стр. 120), используя контрастную нить и оставляя отступ в полсантиметра от края каждого выреза.

3. Пришейте перламутровые пуговицы разных размеров по периметру сердечка внизу правой брючины.

4. Вырежьте два маленьких сердечка из ткани с рисунком. Пришейте швом вперед иголкой одно сердечко из ткани под левым карманом. Затем вдоль шва нашейте разноцветные блестки разных размеров (см. стр. 125).

5. Разместите квадрат ткани с рисунком за вырезом в форме сердечка на левой ноге и приколите его булавками. Отступив от края выреза 0,5 сантиметра, тамбурным швом (см. стр. 123) с контрастной нитью повторите контур выреза. Наложите сверху второе вырезанное сердечко так, как это показано на рисунке. Пришейте аппликацию, используя шов вперед иголкой.

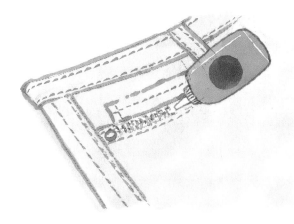

6. Нанесите серебряную краску с блестками вдоль верха карманов, по нижнему краю пояса и на шлевки.

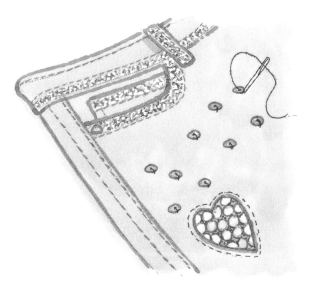

7. Пришейте золотые блестки на верхней части правой брючины, сразу над сердечками.

ДЖИНСЫ В «ОГУРЦАХ»

Мне очень нравится рисунок, называемый «огурцы». Мне нравится, как перетекают линии из одной формы в другую. Использованные в этом проекте рисунки были вырезаны из шелкового галстука. Затем я постаралась разместить их таким образом, чтобы создать ощущение, что они кружатся в водовороте и вибрируют. Линии из золотой краски для ткани позволили усилить это впечатление.

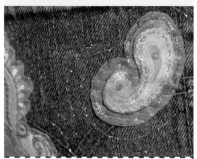

вам понадобится:

Ткань с рисунком огурцов

Серебряная и золотая объемная краска для ткани

Голубая атласная ткань

Голубая пленка ПВХ

Иголка и нитка в цвет

Маленькие острые ножницы

1. Маленькими ножницами вырежьте «огурцы» из ткани. Положите вырезанные рисунки на бумагу, обведите по контуру каждого рисунка золотой краской и оставьте краску сохнуть.

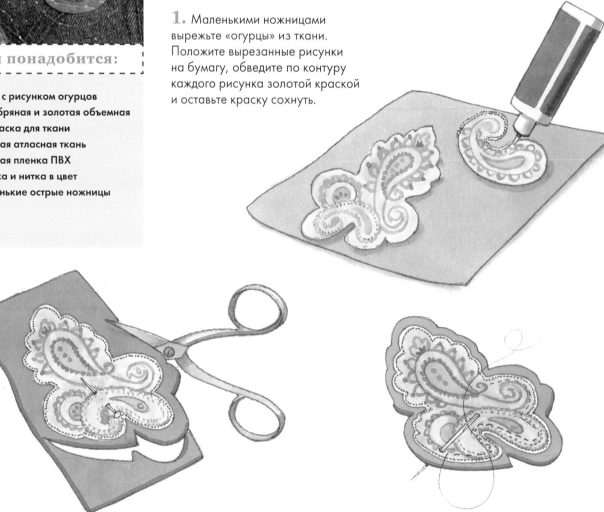

2. Положите несколько рисунков на ПВХ или атлас. Вырежьте рисунок, оставляя небольшой отступ. (Остальные рисунки остаются без фона.)

3. Используя сметочный стежок (см. стр. 20), соедините рисунок с голубым фоном. Если вам так удобнее, сострочите ткани на машинке.

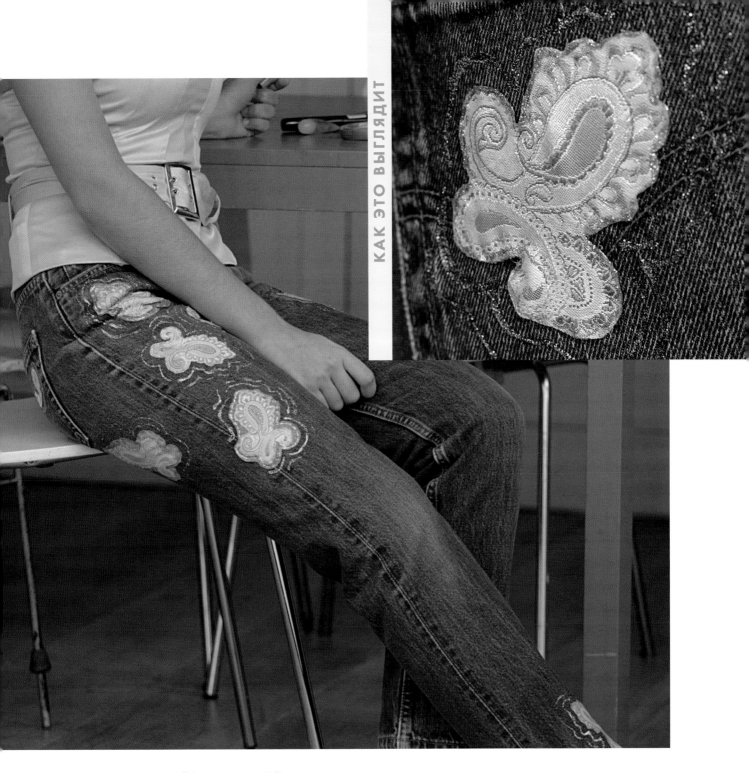

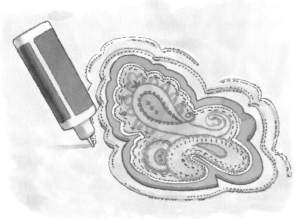

4. Разместите полученные рисунки на джинсы, оставляя между ними небольшие расстояния. Затем пришейте рисунки потайным швом (см. стр. 121). Нарисуйте вокруг каждого пришитого рисунка контуры золотой и серебряной красками. Дайте краске высохнуть.

КРУЖЕВНЫЕ УЗОРЫ

Отделка из кружева, практичные боковые карманы и трафаретные рисунки создают простой безыскусный образ. Я использовала для выделения отдельных участков рисунка различные блестки и стразы, оставив намеренно часть рисунка нетронутым. Такие участки выглядят немного выцветшими, бледными. Мне показалось, что это важно для создания единого образа с несколько вытертым видом джинсов.

вам понадобится:

Салфетки/скатерть с вышивкой в староанглийском стиле

Перламутровая краска для ткани

Маленькая кисточка

Старые темно-синие джинсы

Тесьма с вышивкой в староанглийском стиле

Голубая объемная краска с блестками

Блестки

Швейная машинка

Нитки для шитья

Игла

Белая нить для вышивания

1. Приложите скатерть/салфетки вышивкой в староанглийском стиле к джинсам. Мы будем использовать ее в качестве трафарета. Нанесите маленькой кисточкой перламутровую краску через трафарет. Тщательно наносите краску на прорези трафарета. Дайте краске высохнуть.

КАК ЭТО ВЫГЛЯДИТ

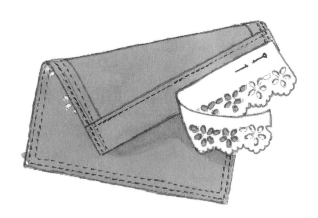

2. Отрежьте нижнюю часть брючины от старых темно-синих джинсов и распорите швы, получив два прямоугольника. Обработайте на швейной машинке края отрезов обоих кусков. Нанесите трафаретом рисунок на каждый из кусков, так же как и на шаге 1. Дайте краске высохнуть. Пришейте полоску тесьмы с вышивкой ришелье к верхней части каждого из кусков.

3. Пришейте потайным швом (*см. стр. 121*) оба куска к брючинам на уровне середины бедра поверх внешних боковых швов, не зашивая верхний край, как на карманах.

4. Нанесите еще трафаретные рисунки на темно-синюю джинсовую ткань. Используя синюю объемную краску, нарисуйте стебель, соединяя листочки. Таким же образом нарисуйте стебли у рисунков, уже нанесенных на джинсы. Дайте краске высохнуть.

5. Пришейте блестки к центру трафаретных цветов (*см. стр. 125*). Пришивая к одним цветам одну блестку, у других выкладывайте из маленьких блесток круги вокруг центра.

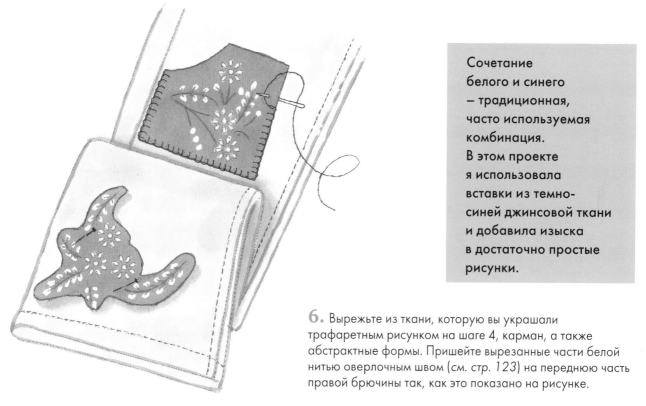

Сочетание белого и синего — традиционная, часто используемая комбинация. В этом проекте я использовала вставки из темно-синей джинсовой ткани и добавила изыска в достаточно простые рисунки.

6. Вырежьте из ткани, которую вы украшали трафаретным рисунком на шаге 4, карман, а также абстрактные формы. Пришейте вырезанные части белой нитью оверлочным швом (см. стр. 123) на переднюю часть правой брючины так, как это показано на рисунке.

ВЫШИТЫЕ РОМАШКИ

В этом проекте мы получаем возможность испытать свои навыки вышивания. Но не пугайтесь, если у вас недостаточно опыта. Рисунки не так сложны, как кажется. Люрекс, блестки, бусины, пуговицы и маленькие замшевые цветочки помогают создать ощущение сложности, тем не менее в действительности в проекте используются очень простые швы.

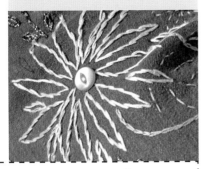

вам понадобится:

Голубая атласная лента

Тесьма из белых хлопковых
    кружев

Игла

Нить в цвет кружева

Маркер для ткани и
    портняжный мел

Нити для вышивания: белые,
    синий люрекс

Швейная машинка

1 маленькая перламутровая
    пуговица

4 блестки

2 маленькие бусины

1 стеклянная пуговица в форме
    цветка

2 блестки в форме цветков

3 розовые или фиолетовые
    стеклянные бусины

1 бархатный цветок

Самоклеющиеся стразы

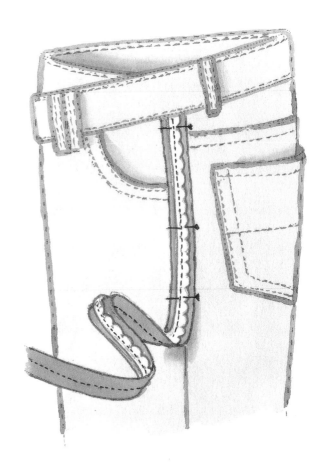

1. Отрежьте два куска от атласной ленты, по длине равных длине ваших брюк от пояса, а также два куска хлопковой кружевной тесьмы. Пришейте кружева к центру каждой ленты при помощи швейной машинки. Сделайте подгиб по верхнему и нижнему концу. Используя нить в цвет, пришейте потайным швом (*см. стр. 121*) ленту к внешним краям брюк.

2. Маркером для ткани или портняжным мелом нанесите рисунок из цветов и листьев на брючины. Используя нить для вышивания, вышейте декоративным швом (см. стр. 122) ромашку. Пришейте маленькую перламутровую пуговицу в центр цветка.

3. Теперь вы можете перейти к вышиванию оставшихся листьев. Используйте шов вперед иголкой (см. стр. 120) для маленьких цветов и тамбурный шов (см. тр. 123) для стеблей и листьев. Для вышивки стебля сверху и цветка снизу я использовала голубой люрекс для того, чтобы добавить немного мерцания. Но вы можете по желанию использовать для всего рисунка только белую нить.

4. Украсьте два маленьких цветка блесками с маленькими бусинами в центре, а остальные цветы украсьте простыми блестками (см. стр. 125). Добавьте к узору меленькую пуговицу в форме цветка.

5. Разместите две блестки в форме цветов в случайном порядке и пришейте их на место, используя в качестве центра маленькие розовые или лиловые стеклянные бусины. Это добавит брюкам блеска.

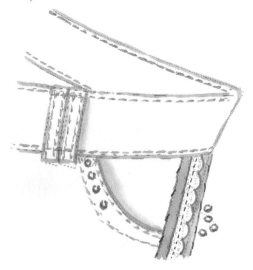

6. Согласно инструкциям производителя закрепите маленькие самоклеющиеся стразы в верхней части карманов.

Из пуговиц получаются очень красивые серединки для цветов, а кроме того, они позволяют экономить время на вышивании этих элементов. Блестки и бусины добавляют блеска и оттеняют текстуру, позволяя «поднять» дизайн.

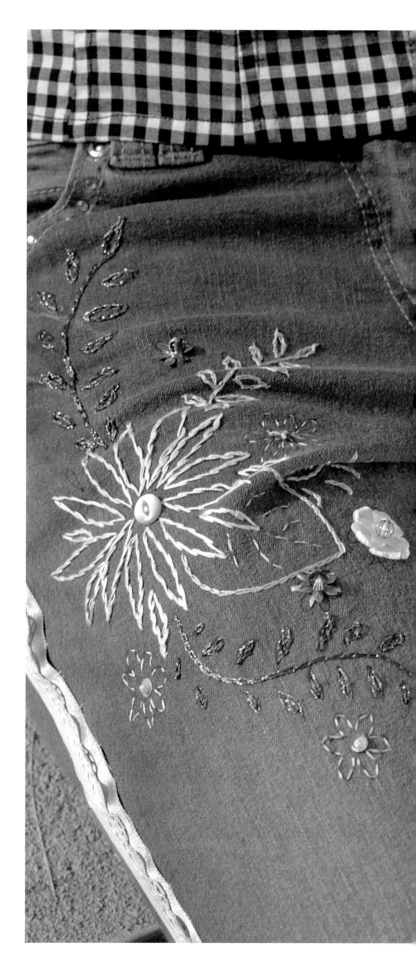

ГОЛУБЫЕ РОЗЫ

Классический рисунок из голубых роз с золотыми листьями навевает воспоминания о традиционном английском фарфоре. В этом проекте я постаралась придать новое звучание старинному мотиву за счет выбора современных материалов. Золотые листья, выполненные из шуршащей материи и дополненные серебряными блестками, добавляют новые ноты в традиционный дизайн.

вам понадобится:

Ткань с цветочным рисунком

Голубые с перламутром
  блестки

Лоскуты золотистой кожи

Серебряные блестки

Игла

Нити для вышивания в цвет

Маленькие ножницы

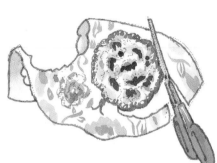

1. Выберите три рисунка цветка на выбранной ткани: два больших и один маленький. Вышейте контур цветов тамбурным швом с использованием нити для вышивания в цвет (см. стр. 123), затем вырежьте цветы, стараясь проводить линию отреза как можно ближе к вышитому контуру.

2. Пришейте по одному большому цветку к каждому заднему карману, используя оверлочный шов (см. стр. 123) таким образом, чтобы каждый стежок проходил через нитяную петельку. Убедитесь в том, что вы цепляете только верхние слои ткани и не зашили карманы.

3. Пришейте на цветок в свободном порядке маленькие голубые блестки (см. стр. 125). Опять убедитесь, что вы не зашили карман.

4. Вырежьте из золотистой кожи листочки. Пришейте их на место, используя потайной шов (см. стр. 120) и синюю нить в цвет рисунка.

5. Пришейте кайму из серебряных блесток через центр заднего кармана (см. стр. 125) так, чтобы она проходила через цветок. Кроме этого, пришейте к верхнему краю кармана еще один ряд блесток.

6. Пришейте небольшой цветок и три листочка на переднюю сторону правой брючины. Оформите цветок так же, как в шагах 2 и 4.

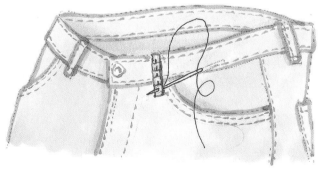

7. Пришейте серебряные блестки на передние шлевки.

РИВЬЕРА В 60-е

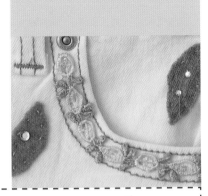

Эти джинсы предназначены для лета, для жаркого солнечного денька. Дизайн заставляет вспомнить о Сан-Тропе и Французской Ривьере в шестидесятых. Возможно, потому, что именно шестидесятые годы вдохновили на создание рисунка ткани. Несомненно, эти джинсы хороши для выхода «в люди». При их создании использовалось большое количество методик наслоения, переплетения и комбинирования тканей и цветов. Они заставляют меня улыбаться своим озорным и привлекающим внимание видом.

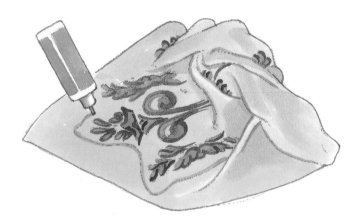

1. Объемной краской для ткани проведите линию вокруг рисунка на платке. Дайте краске высохнуть. Вырежьте рисунок, стараясь проводить линию отреза как можно ближе к нарисованной линии. Краска не даст краям растрепаться.

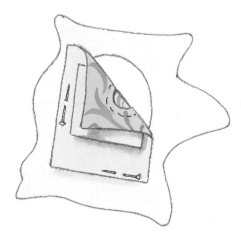

2. Вырежьте овал из центральной части основного рисунка. Возьмите лоскут ткани с круговым рисунком достаточно большой для того, чтобы закрыть полностью вырез, и вырежьте в центре сердечко. Поместите лоскут золотистой ткани за вырезанное сердечко и прошейте вокруг сердечка, используя шов вперед иголкой (см. стр. 120). Приколите ткань с круговым узором за овальный вырез и обработайте край выреза оверлочным швом (см. стр. 123).

3. Вырежьте четыре маленьких цветка из ярко-розовой ткани с цветочным рисунком. Швом вперед иголка и нитью в цвет пришейте их на овал с круговым рисунком. Приколите готовый орнамент на левую брючину чуть ниже кармана. Пришейте орнамент оверлочным швом, используя нить оттеняющего рисунок цвета.

4. Вырежьте небольшие листья из шерстяной ткани или фетра. Следуя инструкциям производителя, прикрепите на часть из них стразы. Пришейте получившиеся листья на переднюю часть левой брючины, используя шов вперед иголкой и нить в цвет.

5. Отрежьте лоскут розовой кружевной тесьмы. Пришейте швом вперед иголкой один кусок чуть ниже правого переднего кармана и поверх пояса, а второй — в нижней части левой брючины спереди. Украсьте кружева светло-розовыми блестками и маленькими перламутровыми бусинами так, как это показано на рисунке.

6. Пришейте кусочек желтой тесьмы с цветочным рисунком по краю левого переднего кармана.

7. Повторите шаги 1–3 для того, чтобы создать орнамент для передней части правой брючины. Сохраните сердечко, вырезанное из центра при подготовке орнамента. Пришейте оверлочным швом орнамент в нижней части правой брючины спереди, а вырезанное сердечко на правый отворот.

Блошиные рынки и распродажи старых вещей могут послужить прекрасным источником винтажных шарфов. Если вы постоянно занимаетесь творчеством и стараетесь сохранять все лоскутки, то даже маленький кусочек ткани может сослужить неоценимую службу.

ФЛАГИ

Оба флага, использованные при оформлении этих джинсов, являются культовыми изображениями, и даже отдельные элементы их, использованные в проекте, воссоздают легко узнаваемый образ. По моему мнению, ключевым элементом в этих проектах было добиться, чтобы края флагов были волнистыми, создавая ощущение того, что их раздувает ветер.

1. Вложите старую тетрадь или журнал в брючину джинсов и, сохраняя натяжение ткани, поскребите канцелярским ножом по ткани для того, чтобы состарить их.

2. Вырежьте два небольших прямоугольника из светло-голубой джинсовой ткани – это основа для флагов. Для создания флага Великобритании вырежьте крест и четыре полосы из синей джинсовой ткани. Приколите булавками, а затем закрепите их при помощи машинки на основе. Вырежьте восемь треугольников из темно-синей джинсовой ткани. Приколите булавками, а затем закрепите их при помощи машинки на основе. Обработайте машинкой края флага. Затем пришейте флаг потайным швом (*см. стр. 121*) на правую брючину спереди, разместив его чуть выше колена.

3. Для создания флага США вырежьте четыре длинных и три коротких полосы из темно-синей джинсовой ткани, а также небольшой прямоугольник светло-синей джинсовой ткани. Приколите вырезанные полосы и прямоугольник на основу, которую вы вырезали на шаге 2, и закрепите их швейной машинкой. Пришейте маленький прямоугольник в верхний левый угол основы флага таким образом, чтобы он перекрывал концы коротких полос. Обработайте края флага на машинке. Пришейте потайным швом на левую брючину чуть ниже кармана.

4. Используя устройство для распарывания швов, отпорите правый задний карман. Используя портняжный мел, нарисуйте семь звезд на светло-голубой джинсовой ткани и вырежьте их. Швом вперед иголка (*см. стр. 120*) пришейте их на карман, размещая их в свободном порядке. Пришейте задний карман к брюкам под углом таким образом, чтобы был виден участок невыцветшей джинсовой ткани.

ПРЕДЛОЖЕНИЕ ОТ ШЕФ-ПОВАРА

Блошиные рынки и распродажи старых вещей могут послужить прекрасным источником винтажных тканей, которые вы можете использовать для оформления, даже если они немного выцвели и протерлись. Эти лоскуты были вырезаны из маленького платья в оборочку, выполненного в стиле 1950-х. Несколько лоскутков этой ткани помогут создать прекрасное оформление для брюк «от шеф-повара». Рисунки на ткани так хорошо выполнены, что я решила использовать их также в качестве мотива для вышивки.

1. Вырежьте три небольших лоскута ткани с рисунком из кухонной утвари. Подверните края и приколите лоскуты на место. Потайным швом пришейте лоскуты на передние части брючин (см. стр. 121).

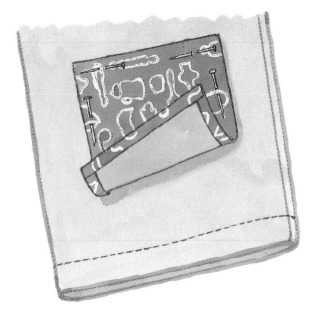

2. Увеличьте рисунки отдельных предметов, использованные на ткани, до желаемого размера (см. стр. 118) и переведите их на джинсы, используя портняжный мел или маркер по ткани (см. стр. 119), или нанесите рисунок самостоятельно.

3. Вышейте рисунки белой нитью для вышивания, для контуров рисунка используя тамбурный шов (см. стр. 123), а для деталей — шов вперед иголкой.

ДЖЕКСОН ПОЛЛАК

Для выполнения этого проекта я решила пришить куски старых вытертых джинсов к обычной паре. Таким образом вы добьетесь ощущения поношенности и потертости брюк без опасения, что они развалятся прямо на вас, если вы решите нагнуться. На создание узора из пятен краски меня вдохновил американский художник-абстракционист Джексон Поллак. Просто постарайтесь представить, как могли бы выглядеть его джинсы. Перед началом оформления не забудьте закрыть все газетой, поскольку процесс разрисовывания может вас слишком увлечь и вы забрызгаете все краской.

вам понадобится:

Старые поношенные джинсы
Лоскуты темно-синей ткани
Краска для ткани: оранжевая
      и зеленая
Кисти

1. Отрежьте от старой пары джинсов передние карманы и мелкими стежками швом вперед иголкой (*см. стр. 120*) пришейте их под передними карманами джинсов, которые вы решили переделать. Отрежьте задний карман от старых джинсов. Пришейте его потайным швом (*см. стр. 121*) изнанкой наружу на переднюю часть левой брючины чуть ниже уже пришитого кармана.

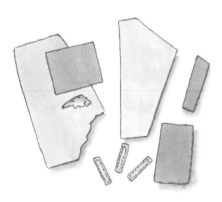

2. Вырежьте два-три лоскутка случайной формы, участок с дыркой и несколько небольших темно-синих кусочков джинсовой ткани. Наложите кусочки ткани один на другой и пришейте их на передние части брючин мелкими стежками швом вперед иголка. Для того чтобы усилить оформительский эффект, добавьте шлевки.

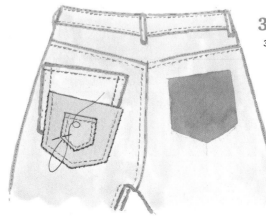

3. Отрежьте оставшийся задний карман от старых джинсов. Переверните его наизнанку и пришейте его поверх левого заднего кармана. Сверху пришейте маленький внутренний карман.

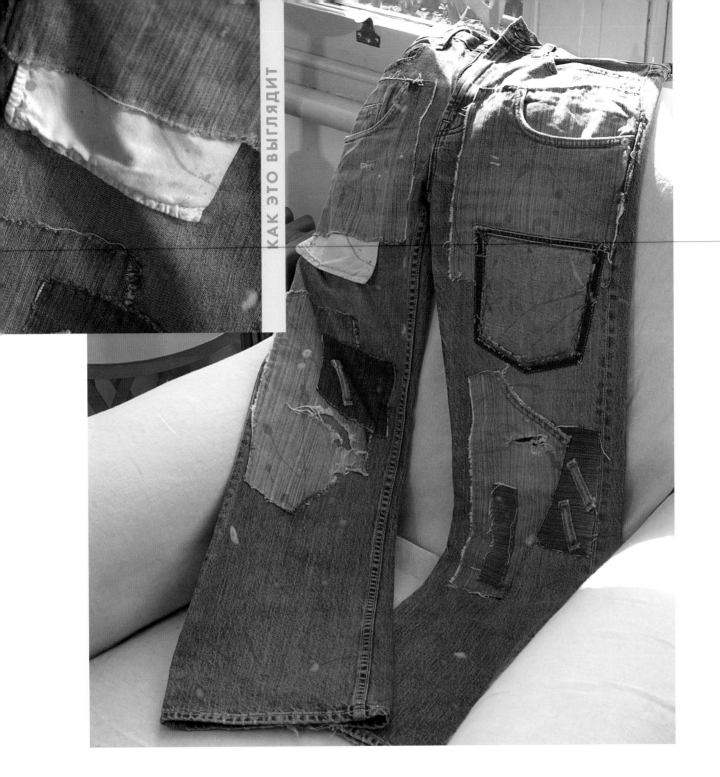

4. Вылейте оранжевую и зеленую краски для ткани в старые блюдца или одноразовые тарелки. Окунув кончик кисточек в краску, нанесите краску на джинсы шлепками для создания на джинсах пятен и линий цвета. Позвольте краске высохнуть.

В этой главе приведены примеры, как сделать куртки из джинсовой ткани для различных случаев от повседневно-праздничных до специальных. Блестящие, яркие пуговицы и ленты, старые кружева и изысканная ткань для сари – это одни из многих способов декорирования одежды. Добавьте к костюму маленькую сумочку из джинсовой ткани, и ансамбль готов!

КУРТКИ
И
СУМКИ

КУРТКИ В ПУГОВИЦАХ

Этот проект декорирования куртки в полной мере отражает мой способ работы, заключающийся в коллекционировании различных вещей и превращении их в новые и необычные. Отправной точкой для этой разработки была банка с пуговицами. Вы всегда можете пополнять свою коллекцию пуговиц. Это также верно для различных ленточек. Если вы нашли ленточку, которая вам нравится, сохраните ее. Возможно, в будущем вы найдете им достойное применение.

вам понадобится:

Бархатные ленточки

Множество разноцветных
    пуговиц

Шелковые ленточки с цветочным
    рисунком

Игла и нити в цвет

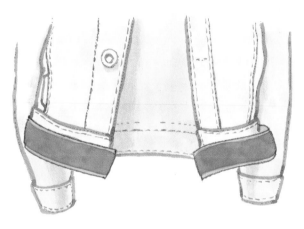

1. Измерьте нижнюю часть куртки, нарежьте бархатные ленты по длине, добавляя для подворотов по одному сантиметру.

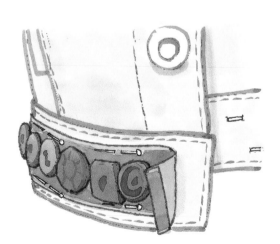

2. Пришейте пуговицы вдоль центра ленты, перемежая цвета и формы. Подверните концы лент, приколите ленту булавками и пришейте потайным швом (*см. стр. 121*) к куртке. Если на поясе куртки есть какие-либо металлические кнопки, вам придется их удалить заранее пассатижами.

3. Пришейте несколько пуговиц на переднюю сторону куртки, размещая их в случайном порядке. Приколите булавками и пришейте потайными стежками лоскут шелковой ленты с цветочным рисунком к верхней части правого кармана, подогните края.

4. Измерьте спину куртки и вырежьте по длине кусочек бархатной ленты и кусочек шелка с цветочным рисунком, добавляя примерно по одному сантиметру на подвороты. С изнаночной стороны сшейте бархатную и шелковые ленты вдоль длинной стороны. Подогните узкие края, приколите и пришейте получившуюся ленту потайным швом поперек спинки куртки.

КУРТКИ С КРУЖЕВНЫМИ ВСТАВКАМИ

В качестве основного элемента этого проекта я использовала большой лоскут винтажных кружев. Кружева оказали сильное воздействие на выбор прочих элементов, включая цвет основы, стиль вышивки. В результате получилась вещь, отделанная в старинном стиле.

вам понадобится:

Зеленый фетр
Кружева
Портняжный мел или светлый
    маркер
Лоскут золотистой ткани
Игла
Наметочная нить
Нити для вышивания
    выбранных вами цветов
Маленькие острые ножницы

1. Измерьте размер спинки куртки и вырежьте соответствующий размерам кусок фетра. Выберите участок кружева, подходящий по размеру для фетровой полочки, аккуратно вырежьте кружево по краю.

2. Поместите кружева в центре и вдоль верхнего края фетра, приколите его булавками и наметайте (*см. стр. 120*). Зеленой нитью для вышивания в цвет фетра пришейте оверлочным швом вдоль края кружева (*см. стр. 123*). Удалите наметку.

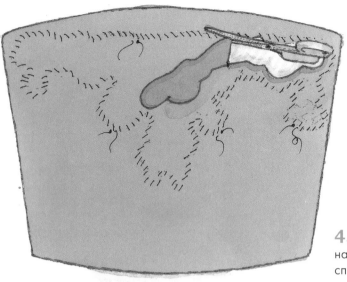

3. Переверните фетр и с изнанки вырежьте его за кружевом. (В качестве направляющей для отреза используйте стежки оверлочного шва.) Повторите шаги 1 – 3 для того, чтобы получить орнаменты из кружева и фетра меньшего размера для левого рукава и правой передней полочки.

4. Используя портняжный мел или светлый маркер, нарисуйте узоры и крест на фетровой панели для спинки куртки. Используя яркие нити, вышейте тамбурным швом рисунки (*см. стр. 123*). Отрежьте полосу фетра, подходящую по размеру поясу куртки в центре задней части пояса. Нарисуйте и вышейте тамбурным швом рисунки, повторяющие узор, использованный на спинке.

Вырезая фетр для рукавов и передней полочки куртки, постарайтесь повторять формы, которые вы вырезали из кружева. Не пытайтесь выкраивать все изгибы кружева. Это сделает форму аппликации слишком витиеватой и раздражающе сложной.

5. Вырежьте центральную часть креста из фетрового куска для спинки куртки. Отрежьте небольшой лоскуток золотистой ткани, поместите его за крестом, вышитым тамбурным швом. Пришейте лоскуток ткани мелкими стежками швом вперед иголкой вдоль горизонтальных и вертикальных линий креста (см. стр. 120).

6. Контрастной нитью вышейте две-три параллельных линии швом вперед иголкой вдоль края всех узоров, вышитых тамбурным швом.

7. Швом вперед иголкой мелкими стежками пришейте все фетровые орнаменты к куртке.

ДВУХСТОРОННИЕ КУРТКИ

Я решила продемонстрировать всем внутреннюю сторону этой куртки, придающую вещи немного состаренный, интересный и приятный вид. Сочетание светлых и темных оттенков синего позволяет сделать акцент на воротнике, манжетах и швах. Я постаралась подчеркнуть джинсовую ткань дорогим шелковистым бархатом и шелком с нежным рисунком. Разноцветные пуговицы завершили образ. Теперь всем ясно, в какую сторону нужно выворачивать эту куртку.

вам понадобится:

Калька и карандаш

Бумага для изготовления выкроек

Розовый бархат

Тесьма с цветочным рисунком

Шелковая ткань с цветочным рисунком

Искусственный цветок

Объемная краска для ткани

10 разноцветных пуговиц

Швейная машинка

1. Пассатижами удалите все металлические заклепки. Отпорите клапаны карманов с передней стороны куртки, выверните куртку наизнанку. Пришейте швейной машинкой клапаны назад на бывшую внутреннюю сторону куртки.

2. Обведите формы карманов на бумаге, сделайте выкройку и вырежьте два кармана из розового бархата.

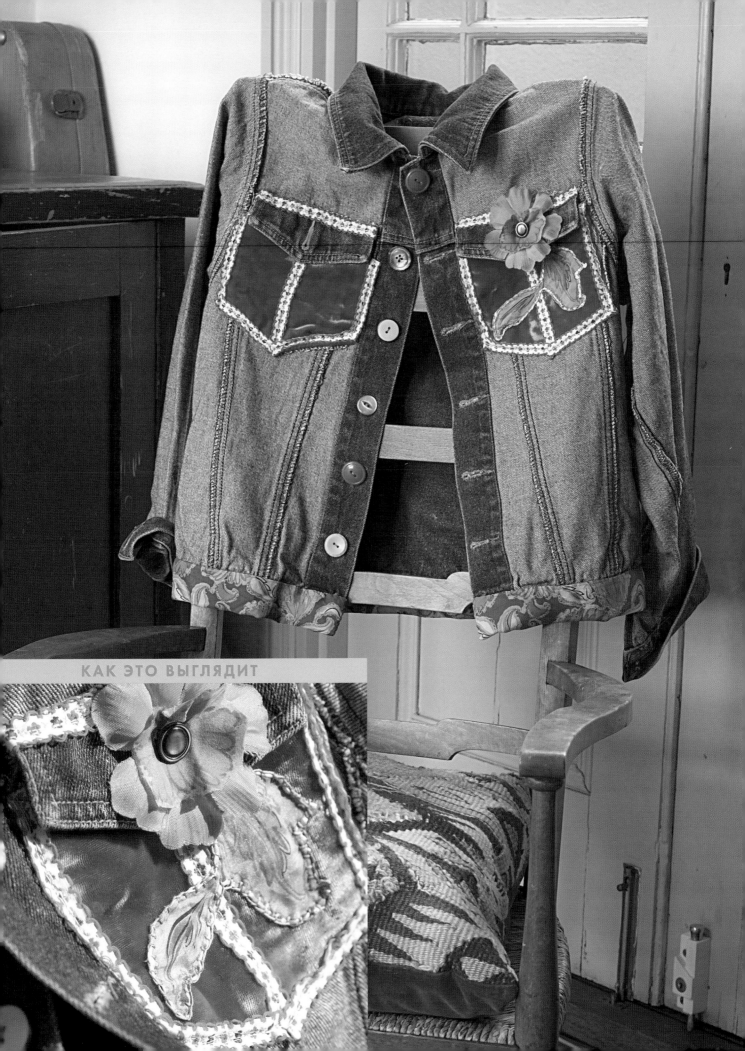

КАК ЭТО ВЫГЛЯДИТ

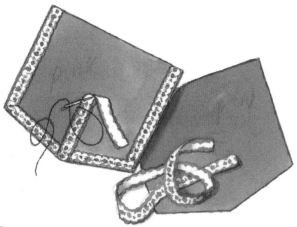

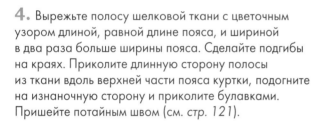

3. На края карманов пришейте тесьму с цветочным узором, пришейте кусочек тесьмы вертикально через центр кармана. Пристрочите карманы на место. Пришейте полоску тесьмы поверху клапана кармана.

4. Вырежьте полосу шелковой ткани с цветочным узором длиной, равной длине пояса, и шириной в два раза больше ширины пояса. Сделайте подгибы на краях. Приколите длинную сторону полосы из ткани вдоль верхней части пояса куртки, подогните на изнаночную сторону и приколите булавками. Пришейте потайным швом (см. *стр. 121*).

5. Отделите слои лепестков от искусственного цветка. Мелкими стежками швом вперед иголкой (см. *стр. 120*) пришейте три цветка на заднюю полочку куртки. Закрепите каждый цветок, пришив в центр пуговицу.

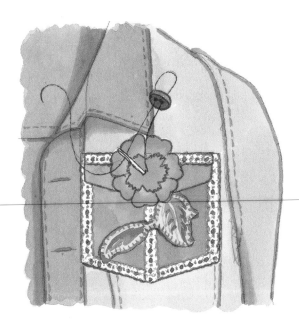

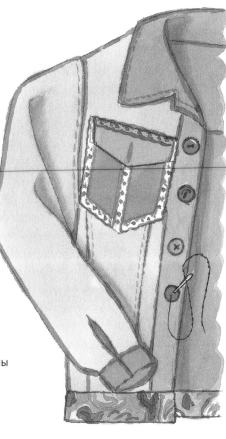

6. Выберите цветок и два листика из узора на шелковой ткани и обведите их объемной краской для ткани. Дайте краске высохнуть. Вырежьте мотив. Оверлочным швом (*см. стр. 123*) пришейте по одному листу с каждой стороны от вертикально нашитой тесьмы с цветочным рисунком. Поместите шелковый цветок в центр искусственного цветка, закрепив его сверху пуговицей. Пришейте цветок на клапан левого кармана. Старайтесь прошивать все слои.

7. Замените кнопки куртки на разноцветные пуговицы.

ЛЕНТОЧНЫЕ РУКАВА

Это один из способов удачного использования любимых тканей в полоску и лент, которые, к сожалению, недостаточно длинны для оформления низа юбки или использования в качестве шлиц на брюках. Оранжевый и красный фон, яркие цвета и различные ленты и тесьма – все это в сочетании напоминает традиционные мексиканские узоры, используемые для оформления тканей и одежды, а вертикальные полосы над карманами похожи на орденские планки.

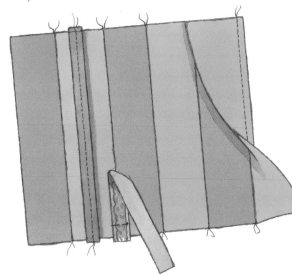

1. Сострочите полосы красной и оранжевой шерстяной ткани или фетра для создания полосатой основы. Приколите булавками, а затем сострочите ленты, тесьму и тканые полосы на полосатую основу.

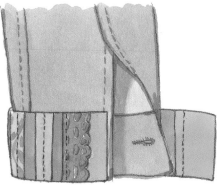

2. Пассатижами удалите кнопки, металлические заклепки с рукавов куртки. Измерьте обхват манжет, определите ширину декора, отрежьте подготовленный орнамент по длине (два отрезка для двух манжет).

3. Пришейте потайным швом (см. стр. 121) тесьму с цветочным узором к верху, низу и бокам каждой из полосатых манжет. Пришейте потайным швом заготовленный орнамент к манжетам на куртке и закрепите кнопки. Сделайте полосатые полочки, идущие от низа клапана правого кармана и над клапаном левого кармана.

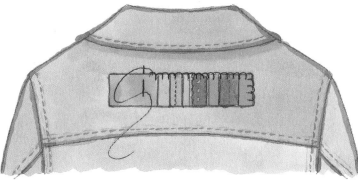

4. Отрежьте полосу сборного орнамента для украшения центральной части спинки. Внесите последний штрих – пришейте орнамент оверлочным швом (см. стр. 123).

КУРТКИ-ПЕРЧАТКИ

Это один из моих любимых приемов в дизайне.
Я люблю большие розы, а одну, на спинке куртки, кажется,
вот-вот сорвет рука в волшебной белой перчатке.
Та же, что разместилась спереди, качается на тонком
стебле из блесток в облаке разноцветных мерцающих огней.
В этом проекте я постаралась использовать максимум
возможностей, и, похоже, результат оправдал ожидания.

вам понадобится:

Ткань с цветочным рисунком
1 детская белая перчатка
Зеленые блестки
Зеленая камчатная ткань
Ткань с блестками
Голубая/зеленая пленка ПВХ
Блестки различных размеров
  и форм
Золотые и серебряные
  объемные краски
Фарфоровые пуговицы
  с цветочными мотивами
Портняжный мел или маркер
  для тканей
Игла
Нити для вышивания
Швейная машинка

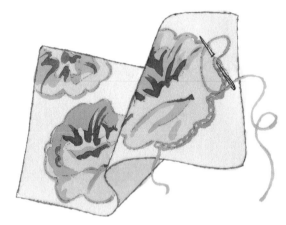

1. Выберите два крупных цветка из найденной вами ткани. Нитью в цвет прошейте контур выбранных цветов тамбурным швом (см. стр. 123). Вырежьте цветы, проводя линии отреза как можно ближе к шву по краю.

2. Аккуратно приколите булавками и пристрочите детскую перчатку по центру нижней части спинки. Старайтесь провести шов как можно ближе к краю перчатки. Оставьте свободным от швов большой палец.

3. Приколите цветок над перчаткой. Пришейте его оверлочным швом (*см. стр. 123*), используя нить в цвет. Старайтесь попадать стежками в соединения цепочек тамбурного шва. Пришейте таким же образом цветок на левый карман спереди.

4. Вышейте волнистую линию из зеленых блесток (*см. стр. 125*) — стебель, идущий от цветка вниз. Стебель на спинку куртки должен проходить через перчатку, а стебель спереди должен доходить до пояса.

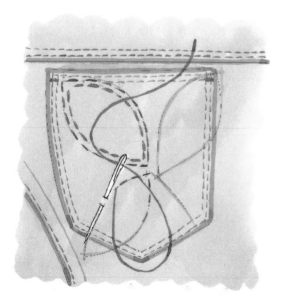

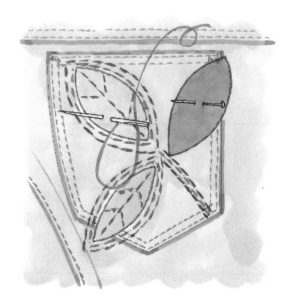

5. Портняжным мелом или маркером для ткани нарисуйте листья, отходящие от стеблей. Нарисуйте еще три листа на правом кармане. Два листа вышейте двойными линиями параллельно друг другу (на небольшом расстоянии) швом вперед иголкой. Используйте для одной линии синюю, а для второй – зеленую нить.

6. Повторите форму листа на камчатной ткани, ПВХ или ткани с блестками. Вырежьте листья. Приколите листья булавками внутрь вышитых контуров, вышейте жилки швом вперед иголкой: одну проходящую через центр, а остальные — отходящие от центра под углом в 45⁰. Выделите края листьев на левом кармане золотой объемной краской. Дайте краске просохнуть.

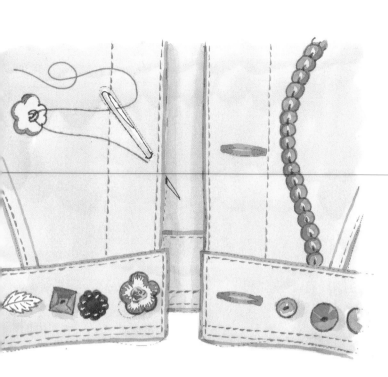

7. Заполните остальную часть левого кармана разноцветными блестками разной формы. Пришейте линию блесток вдоль центральной линии пояса. Замените пуговицы на пуговицы с цветочным узором.

8. Вышейте контур одного из листьев на правом кармане блестками. Остальную часть кармана закрасьте серебряной объемной краской. Дайте краске высохнуть.

САРИ

Золотое шитье этой ткани для сари превращает эту куртку из обычной джинсовой одежды в сложный и изысканный наряд. Отрезные широкие рукава добавляют женственности и блеска, подчеркивая качества ткани для сари.

1. Отрежьте нижнюю часть куртки чуть выше пояса, а также рукава до локтя. При необходимости воспользуйтесь пассатижами для удаления металлических кнопок и заклепок с тех мест, где они будут закрыты тканью.

2. Отрежьте широкую полосу ткани для сари для создания нижней части куртки, подверните необработанный край и приколите булавками. Пришейте ткань потайным швом (см. стр. 121). Вырежьте два прямоугольника из ткани для сари для того, чтобы пришить над клапанами карманов. Подверните необработанный край и пришейте прямоугольники потайным швом.

3. Для рукавов вырежьте полосы ткани в два раза больше желаемой ширины манжета, подверните все необработанные края. Пришейте потайным швом верхнюю часть манжета к обрезу рукава, затем выверните рукав наизнанку. Подогните ткань до уровня шва, затем пришейте потайным швом ткань для сари к материалу рукава.

ТАТУИРОВКИ

Это куртка для мальчика. Ручная вышивка нисколько не добавляет женственности в общий облик. Я постаралась использовать классические рисунки для татуировок: голубую птицу, сердца со стрелой, задающие общий бесшабашный байкерский образ. Вышивка выполнена на карманах, споротых со старой куртки, что значительно упрощает работу. Всегда проще делать вышивку на маленьком кусочке ткани, а не на жестком рукаве.

вам понадобится:

Выкройки со страницы 127

Калька и карандаш

Портняжный мел или маркер для ткани

3 задних кармана, срезанных со старых джинсов

Красная атласная ткань

Голубая атласная ткань

Игла

Нить для шитья в цвет джинсов

Нити для вышивания: черная, белая, желтая

Маленькие острые ножницы

Швейная машинка

1. Увеличьте рисунок сердец, пронзенных стрелой, со страницы 127 до желаемого размера. Перенесите его на один из задних карманов, споротых со старых джинсов. Черной нитью вышейте контур сердец и свитка тамбурным швом (*см. стр. 123*).

2. Острыми ножницами вырежьте центры сердец. Будьте осторожны – не перережьте вышитый шов.

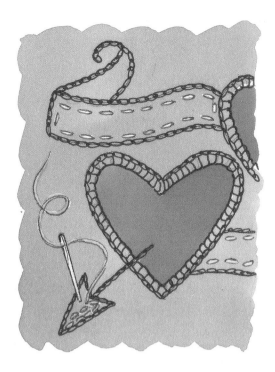

3. Поместите лоскут красного атласа за вырезом сердец. Пришейте лоскут оверлочным швом (см. стр. 123). Старайтесь попадать стежками в соединение петелек.

4. Черной нитью вышейте тамбурным швом контур стрелы. Белой нитью швом вперед иголка (см. стр. 120) вышейте линию вдоль внутренней стороны свитка. Желтой ниткой стежками вперед иголкой заполните внутреннюю часть стрелы и оперения стрелы.

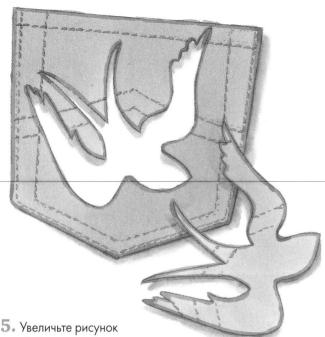

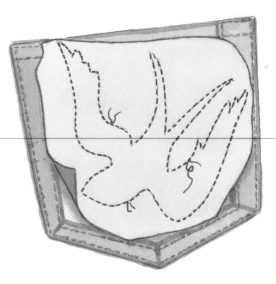

5. Увеличьте рисунок голубой птицы со страницы 127. Перенесите его на второй карман, отпоротый от старых джинсов. Черной нитью вышейте контур птицы. Острыми ножницами вырежьте центральную часть птицы. Будьте осторожны – не перережьте вышитый шов.

6. Поместите лоскут синего атласа за вырезом птицы, закрепите его булавками. Пристрочите по внешнему краю контура, сделанного вручную.

При реализации этого проекта вы можете выбрать любой узор для «татуировок». Обратите внимание на то, что выбранный рисунок должен обладать крупными, легко различимыми деталями, чтобы его было относительно просто вырезать. Кроме того, важно помнить то, что ткань, помещаемая за вырез, должна создавать контраст с текстурой и цветом куртки.

7. Пристрочите карман с тату-сердцем к верхней части левого рукава, а тату-карман с птицей — на правую полочку. Пришейте на правый рукав карман без татуировок.

МАКИ

Яркие маки из шерстяной ткани придают этой куртке вид одежды, сделанной вручную. При этом блестящие разноцветные лоскутки тканей наводят на мысль о цыганском стиле. Симпатичные пуговицы со стразами скрепляют вместе разнообразные лоскуты, а также являются сердцевинкой для объемных цветов. Этот прием повторяется и в бутоньерке. На одном из карманов разместился симпатичный лоскуток с цветочным узором, а также пуговицы, повторяющие пуговицы манжет.

1. Увеличьте выкройку на странице 126 до желаемого размера (см. стр. 118). Перенесите внутренний и внешний цветки на фетровую ткань и вырежьте. Сколите булавками цветок и вышейте тамбурным швом овальные лепестки, проходящие через внутреннюю часть цветка (см. стр. 123).

2. Поместите большую плоскую пуговицу в центр цветка, сверху закрепите пуговицу со стразами. Сшейте все вместе.

3. Приколите булавками цветок к куртке ниже кармана и пришейте его, используя шов вперед иголкой (см. стр. 120) и нить в цвет.

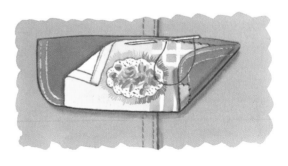

4. Вырежьте из лоскута ткани с цветочным рисунком прямоугольник, по размеру подходящий к клапану кармана. Пришейте лоскут на клапан потайным швом (см. стр. 121). Пришейте сверху две розовые и две зеленые пуговицы. Пришейте лоскутки тканей контрастных цветов и пуговицу со стразами на отворот куртки. Пришейте одну зеленую и две розовые пуговицы на каждый рукав.

СУМКА «КОРОЛЕВА ЖЕМЧУГА»

В эту крошечную сумочку может поместиться только помада и ключи. Один мой друг подарил мне винтажную тесьму, которая когда-то, возможно, была частью очень элегантного и стильного платья. Но кто знает, когда это было, из какого столетия дошла до нас эта вещь. Этот осколок прошлого, переливающийся на свету, делает эту сумку поистине бесценной.

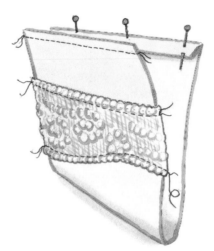

1. Вырежьте кусок светло-синей джинсовой ткани размером примерно 35×20 сантиметров. Закрепите вручную винтажную тесьму в верхней части одного из коротких концов вырезанного прямоугольника. Подверните необработанные края джинсовой ткани и пристрочите их.

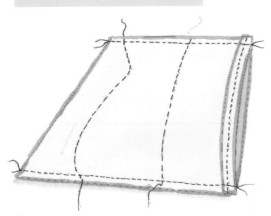

2. Сложите с изнаночной стороны прямоугольник из джинсовой ткани и состройте бока, оставляя 0,5 сантиметра в качестве отступа на шов.

КАК ЭТО ВЫГЛЯДИТ

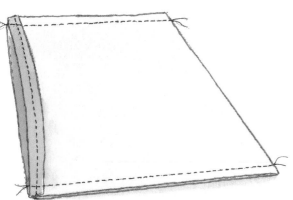

3. Повторите шаги 1 и 2 для подкладки. Только при шитье подкладки не выворачивайте ее.

4. Для лямок вырежьте полосу 55×2,5 сантиметра из светло-голубой джинсовой ткани. Положите лицевую сторону на рабочий стол, сложите по длине бока к центру и сколите булавками. Прострочите вдоль каждого края. Приколите атласную ленту персикового цвета к стороне лямки, где сходятся ее края. Пристрочите ленту вдоль длинных краев лямки.

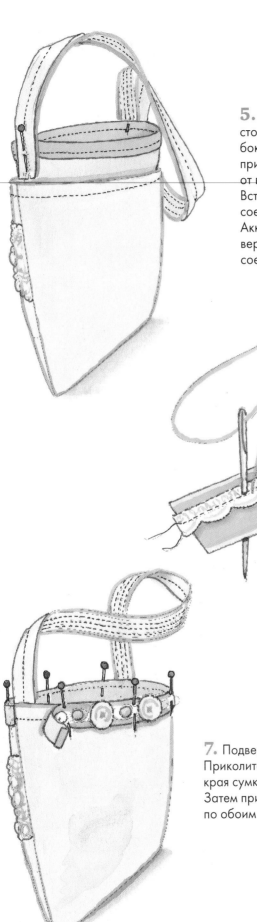

5. Приколите изнаночную сторону лямки к внутреннему боковому шву подкладки примерно в 1 сантиметре от верхнего края подкладки. Вставьте подкладку в сумку, соединяя верхние края булавками. Аккуратно прострочите вдоль верхнего края для того, чтобы соединить слоя сумки.

6. Отрежьте бархатную ленту персикового цвета такой длины, чтобы хватило для полного оборота вокруг верхней части сумки. Оставьте на подгиб примерно 1 сантиметр. Пристрочите ленту кружев к центру бархатной ленты. Затем нашейте вручную попеременно пуговицы и бусины вдоль центра кружева.

7. Подверните конец ленты и приколите к сумке. Приколите остальную часть ленты вдоль верхнего края сумки, подверните остатки ленты в конце. Затем пришейте ленту потайными стежками по обоим краям (см. стр. 121).

СУМКА С УЗОРОМ ИЗ БЛЕСТЯЩИХ ЛИСТЬЕВ

вам понадобится:

Старые джинсы

Маркер для ткани

Золоченая ткань

3 пуговицы в виде цветка

Ткань с цветочным узором

Швейная машинка

Нить для шитья

Игла

Зеленая нить для вышивания

Острые ножницы

Создание этой сумки от начала и до конца займет не более часа. Что мне больше всего нравится в ней, так это то, что большая часть уже выполнена за вас. Карманы, боковой шов лямки и верхний край сумки уже готовы, а значит, у вас появляется больше времени для того, чтобы проявить свою фантазию.

1. Отрежьте нижнюю часть левой брючины, выверните ее наизнанку, состроите по необработанному краю отреза.

2. Для лямки отпорите пояс и пришейте по одному концу к каждой стороне сверху сумки потайным швом (см. стр. 121) таким образом, чтобы с одной стороны оказалась петля, а с другой — пуговицы. (Вы можете пришить пояс на машинке, если вам так больше нравится.)

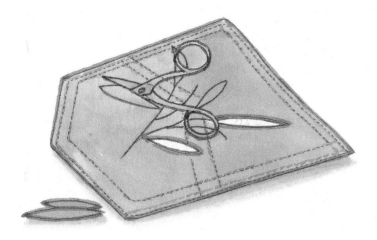

3. Отрежьте от старых джинсов два задних кармана. Нарисуйте листья и стебли так, как это показано на рисунке. Ножницами вырежьте центр каждого листа.

4. Поместите квадрат золоченой ткани под ткань кармана и приколите по краям. Постарайтесь сохранить натяжение ткани-подложки. Темно-зелеными нитями прошейте несколько раз швом назад иголка вокруг листьев, а также вверх и вниз по стеблям. Повторение шва необходимо для выделения стеблей и листьев, а также для увеличения прочности самого шва.

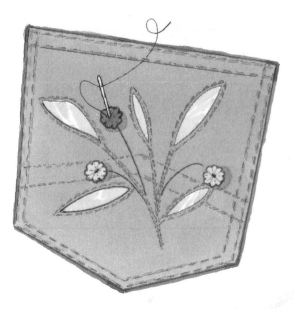

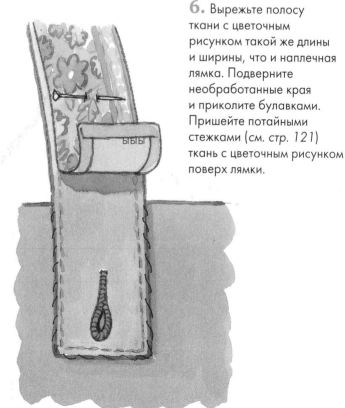

6. Вырежьте полосу ткани с цветочным рисунком такой же длины и ширины, что и наплечная лямка. Подверните необработанные края и приколите булавками. Пришейте потайными стежками (*см. стр. 121*) ткань с цветочным рисунком поверх лямки.

5. Пришейте три пуговицы в форме цветков на карман. Нитью для вышивания от цветков вышейте тамбурным швом (*см. стр. 123*) линию до стебля, прошитого швом назад иголка.

7. Вырежьте еще одну полосу ткани с цветочным рисунком для другого отпоротого от джинсов заднего кармана (см. шаг 3). Подверните необработанные края ткани и приколите булавками. Пришейте потайным швом ткань с цветочным рисунком на верхнюю часть кармана.

8. Пришейте потайным швом оба кармана на переднюю часть сумки, постарайтесь, чтобы карманы находили друг на друга так же, как это показано на рисунке.

СУМКА С ЦВЕТОЧНЫМ УЗОРОМ ИЗ БУСИН

Поскольку я хотела получить элегантную вечернюю сумочку, то для нее я выбрала самую темную синюю джинсовую ткань. Цветы и листья вырезаны из винтажной кружевной скатерти, вязанной крючком. Цветок дополнен блестками, а его серединка состоит из большой перламутровой пуговицы с маленькими перламутровыми бусинками.

Вам понадобится:

44×21 см лоскут темно-синей джинсовой ткани

Швейная машинка

Игла и нити для вышивания

Вязанные крючком кружева

1 большая перламутровая пуговица

3 маленьких перламутровых бусины

Белые блестки

Тесьма с блестками

Лоскут ткани для подкладки 44×21 см

Лоскут темно-синей джинсовой ткани для ручки 75 – 9 см

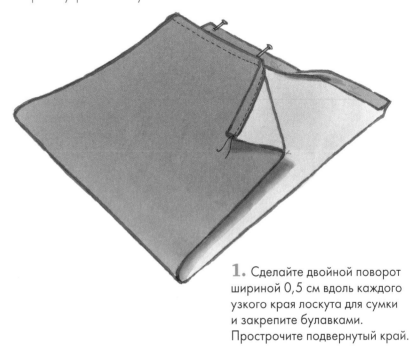

1. Сделайте двойной поворот шириной 0,5 см вдоль каждого узкого края лоскута для сумки и закрепите булавками. Прострочите подвернутый край.

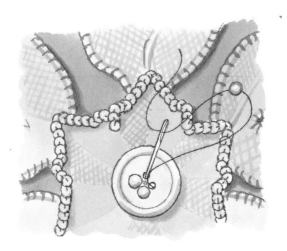

2. Вырежьте цветок и листья из вязаных кружев и пришейте их оверлочным швом (*см. стр. 123*) к верхней половине заготовки для сумки. Пришейте крупную пуговицу в центре цветка, пришивая также к центру пуговицы три-четыре маленькие перламутровые жемчужины. Пришейте белые блестки по краю цветка (*см. стр. 125*).

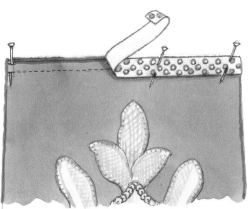

3. Сложите ткань пополам, изнаночной стороной наружу. Закрепите булавками, а затем состройте сумку по боковым швам, делая отступ 0,5 сантиметра. Выверните сумку на лицевую сторону и пришейте потайным швом (см. стр. 121) тесьму с блестками по верхнему краю сумки.

4. Сшейте сумку из подкладочной ткани таким же образом, как вы шили ее из джинсовой, но не выворачивайте на лицевую сторону. Сложите ткань для лямки пополам, лицевой стороной внутрь. Простройте вдоль необработанных краев, затем выверните лямку на лицевую сторону. Пристройте лямку к изнаночной стороне подкладки к центральной части каждой из сторон. Поместите подкладку в джинсовую сумку. Закрепите булавками и пришейте оверлочным швом (см. стр. 123) вдоль верхнего края.

Источником вдохновения для создания этих вещей стали костюмы танцовщиц фламенко, древние символы и даже небесные мотивы. Блестящие и очень нежные, сексуальные и легкомысленные, эти вещи могут быть объединены одним определением – они очень женственны. Самое главное, что эти идеи могут быть в той или иной степени воплощены в вещах для всех возрастов.

юбки и платья

СОЛНЕЧНЫЙ УЗОР

Для этой юбки я соединила лоскутки нежных и тонких шелковых и хлопковых тканей с яркими узорами и переливающимися цветами. Очень легко представить себя в этой юбке где-нибудь на пляже, например на Средиземном море или в Калифорнии, где цвета узора засияют еще ярче в лучах летнего солнца.

вам понадобится:

**Множество лоскутков ткани
    ярких цветов**
Старый галстук
Швейная машинка
Игла и нить для шитья

1. Вырежьте полоски (15 x 9 сантиметров) из разноцветных тканей. Сложите их лицом друг к другу. Состройте полоски одну с другой, по очереди. Строчка должна проходить по узкой стороне. Сшивайте полоски ткани до тех пор, пока лоскутная лента не достигнет достаточной длины для того, чтобы она стала равна длине обхвата подола юбки, а также чтобы ее хватило для того, чтобы обшить верхние части задних карманов. Оставьте пятисантиметровый припуск на подворот краев. Разгладьте все швы.

2. Измерьте длину обхвата подола юбки и отрежьте от лоскутной ленты требуемую длину, оставляя двухсантиметровые припуски на подгибку. Подогните необработанные края и пригладьте их. Пристрочите одну сторону ленты к нижнему краю подола юбки.

3. Приколите другую сторону ленты к юбке. Подогните и соедините концы ленты. Пристрочите ленту на место.

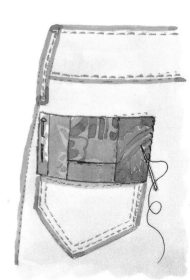

4. Отрежьте два куска ленты такой же ширины, что и задний карман юбки, оставляя на подгиб 1,5 сантиметра. Подверните необработанные края и загладьте их. Пришейте потайным швом к верхней части каждого кармана (см. стр. 121). Проденьте старый галстук через шлевки пояса и завяжите его спереди.

ЦЫГАНСКАЯ ЮБКА

Эту симпатичную юбку, немного цыганского вида, для специальных случаев можно носить с сапогами, сандалиями и даже лодочками. Розовые и бледно-зеленые цвета пояса и волана оттеняются золотой тесьмой. Бахрома и воланы добавляют этой юбке буйной энергии фламенко, заставляя вас отбивать ритм кастаньет.

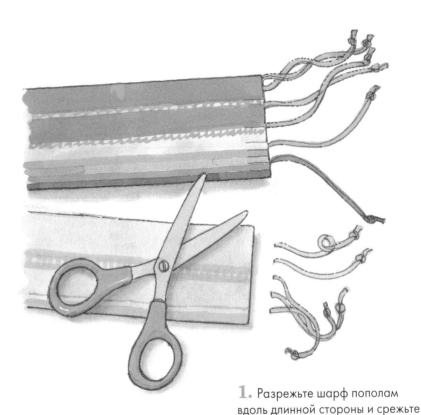

1. Разрежьте шарф пополам вдоль длинной стороны и срежьте кисти с одной стороны.

2. Отрежьте нить такой длины, чтобы ее хватило на весь шарф. Сделайте аккуратный шов вперед иголкой (см. стр. 120) вдоль одного из длинных краев той части шарфа, с которой вы срезали кисти. Присборьте ткань на нити. Старайтесь добиться того, чтобы сборки получались равной величины. После того как вы присборили ткань, ее длина должна соответствовать длине обхвата подола юбки. Закрепите сборки узелками.

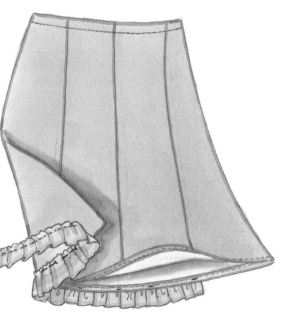

3. Закрепите булавками, наметайте, а затем прострочите собранную часть шарфа к подолу юбки.

4. Пристрочите широкую золотую ленту над верхним краем собранной части шарфа, а сверху пришейте узкую обивочную тесьму. Постарайтесь разместить тесьму таким образом, чтобы она лежала внахлест с золотой лентой и собранной частью шарфа. Пришейте две шлевки, отрезанные от старых джинсов, на бедра юбки и проденьте сквозь них часть шарфа с кистями – ее можно использовать в качестве пояса.

ЮБКА С УЗОРОМ ИЗ БАБОЧЕК

Эта юбка – сад с цветами, на которые слетаются бабочки. Вышивка на бабочке на передней части юбки несет не только декоративную, но и утилитарную функцию – она удерживает ткань, кроме того, легкие поперечные стежки добавляют текстуры рисунку.

вам понадобится:

Выкройка на странице 127
Калька и карандаш
Маркер для ткани
    и портняжный мел
Светло-голубой атлас
Зеленая шелковая
    или атласная ткань
Золотистая шелковая или
    атласная ткань
Фиолетовые кружева
    с цветочным рисунком
Вуаль с рисунком из бабочек
Пуговицы в форме бабочек
Фиолетовые блестки
Игла и нить для шитья
Нити для вышивания

1. Увеличьте выкройку на странице 127 до желаемого размера (*см. стр. 118*), перенесите на светло-голубой атлас, вырежьте и приколите булавками на переднюю часть юбки. Вышейте гладью (*см. стр. 122*) по центру ткани приколотую к юбке линию так, чтобы получилось тело бабочки. Вышейте швом вперед иголка (*см. стр. 120*) закручивающиеся линии, проходящие от центра бабочки через крылья и выходящие на джинсовую ткань. Меняйте цвета швов через один.

2. Вырежьте четыре декоративные вставки для задних и передних карманов. Вырежьте небольшой кусок шелковой или атласной ткани (золотистой для передних карманов и зеленой для задних карманов) и пришейте на каждый сверху небольшие кусочки фиолетовых кружев (это будут растения) и кусочек вуали с бабочкой.

3. Аккуратным швом вперед иголкой или назад иголкой (*см. стр. 120–121*) пришейте вставки на место.

4. Пришейте пуговицы в форме бабочек на переднюю часть юбки и пришейте фиолетовые блестки к основаниям передних карманов (см. стр. 125).

МИНИ С КРУЖЕВНЫМИ ВСТАВКАМИ

Обычно вырезная техника используется при шитье белья из тонкого шелка и кружева. Но мне кажется, что у этой техники есть много способов использования. В этом проекте я не только делала многослойные орнаменты из тканей, но иногда просто вырезала участки ткани. Кружева выделяются на темном фоне джинсовой ткани и подчеркивают все плюсы и минусы многослойных и вырезанных узоров.

Полоса бежевого или белого вязанного крючком кружева

Небольшие лоскуты темно-синей джинсовой ткани

Голубая тесьма с пушистой бахромой

Игла и нить в цвет

Острые ножницы

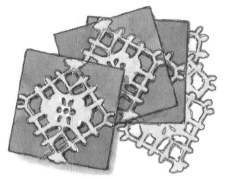

1. Из кружевной полосы вырежьте шесть ромбов 5×7 сантиметров. Вырежьте четыре прямоугольника из темно-синей джинсовой ткани примерно такого же размера. Оверлочным швом (см. стр. 123) и нитью в цвет пришейте три кружевных ромба к джинсовым прямоугольникам.

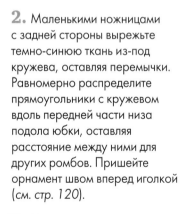

2. Маленькими ножницами с задней стороны вырежьте темно-синюю ткань из-под кружева, оставляя перемычки. Равномерно распределите прямоугольники с кружевом вдоль передней части низа подола юбки, оставляя расстояние между ними для других ромбов. Пришейте орнамент швом вперед иголкой (см. стр. 120).

3. Приколите остальные кружевные ромбы в промежутки между джинсовыми орнаментами. Оверлочным швом и нитью в цвет пришейте кружево на место. Острыми ножницами вырежьте ткань юбки за кружевом, оставляя перемычки.

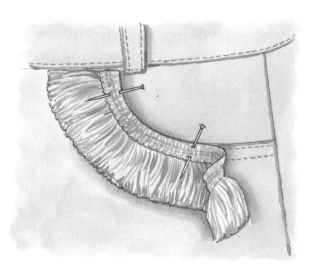

4. Пришейте оверлочным швом кружевные полоски к верхней части каждого из задних карманов. Приметайте к верхнему краю полосу голубой тесьмы с пушистой бахромой. Такую же тесьму используйте для украшения передних карманов.

ДРЕВО ЖИЗНИ

Идея Древа жизни с ветвями, достигающими неба, и корнями, уходящими глубоко под землю, существует во множестве культур. Этим символом обозначается связь между небесным, наземным и подземным мирами.

вам понадобится:

Шаблоны на странице 126

Калька и карандаш

Маркер для ткани или портняжный мел

Винно-красный атлас

Шелковая ткань с рисунком

Розовый бархат

Розовые кружева

Красная объемная краска для ткани с блестками

Красная китайская парча

Лента с цветочным рисунком

Игла

Нити для вышивания понравившегося вам цвета

Маленькие острые ножницы

1. Увеличьте большой шаблон Древа жизни, приведенный на странице 126, до желаемого размера и перенесите его на винно-красную атласную ткань (*см. стр. 119*). Различными оттенками зеленых нитей для вышивания вышейте тамбурным швом (*см. стр. 123*) контур каждого из листьев. Также тамбурным швом необходимо вышить стебли.

2. Маленькими острыми ножницами вырежьте внутреннюю часть листьев. Поместите за каждый лист по лоскуту ткани. Я использовала шелковую ткань с рисунком для двух листьев и розовый бархат для оставшихся листьев. Приложите лоскуты на место, приколите их булавками и наметайте (*см. стр. 120*).

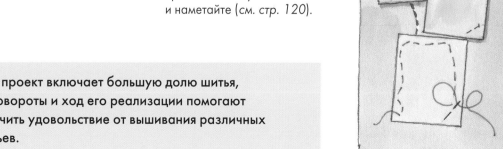

Этот проект включает большую долю шитья, но повороты и ход его реализации помогают получить удовольствие от вышивания различных листьев.

КАК ЭТО ВЫГЛЯДИТ

3. Пришейте лоскуты на место оверлочным швом (см. стр. 123). Старайтесь стежками оверлочного шва попадать в соединения тамбурного шва. Для разнообразия я использовала нити разного цвета.

4. На центральном листе из розового бархата вышейте тамбурным швом три овала. Маленькими ножницами вырежьте центры овалов. Поместите за вырезами лоскуты розового кружева. Пришейте кружево оверлочным швом. Старайтесь стежками оверлочного шва попадать в соединения тамбурного шва.

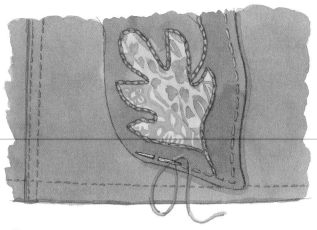

5. Вырежьте вышивку по контуру (оставляя большие отступы от швов). Для закрепления края ткани проведите по контуру красной объемной краской с блестками. Зеленой нитью прошейте швом вперед иголкой (см. стр. 120), пришейте орнамент в левой передней части юбки. Край прошейте оверлочным швом.

6. Переведите шаблон маленького листа со страницы 126 на отдельный лоскут винно-красного атласа. Зеленой нитью для вышивания вышейте тамбурным швом контур листа. Жилки листа вышейте швом вперед иголкой. Вырежьте вышитый рисунок и приложите его к передней правой части юбки. Пришейте его на место так же, как вы это делали на шаге 5, но в этот раз используйте красные нити.

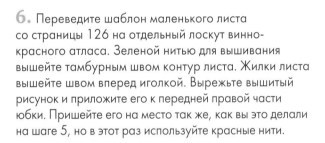

7. Вырежьте квадрат красной китайской парчи и пришейте потайным швом по краям узкую ленту с цветочным рисунком (см. стр. 121). Пришейте оверлочным швом квадрат под клапаном переднего правого кармана.

ЛЕНТЫ И БАНТЫ

Мне кажется, что эта юбка не только очень женственная, но и чуть-чуть пикантная, но как говорится: «В каждой женщине должна быть какая-то загадка». Нежные женственные кружева, шелк и мягкие бархатные ленты создают контраст с блестящей пленкой ПВХ, а чистые цвета и различные текстуры создают достаточно смелый, но в то же время хорошо сбалансированный облик.

вам понадобится:

Розовое кружево

Зеленая атласная лента

Лента с цветочным узором

Светло-голубая бархатная лента

Калька и карандаш

Розовая пленка ПВХ

Швейная машинка

Нити для шитья

1. Вырежьте треугольник из розового кружева. Пристрочите его в нижней части по центру юбки, сразу под молнией.

2. Отрежьте кусок зеленой атласной ленты и ленты с цветочным рисунком. Отрезанные куски должны быть такой длины, чтобы закрыть две длинные стороны треугольника, плюс пять сантиметров. Пристрочите ленту с цветочным рисунком на центр атласной ленты.

3. Приколите булавками, а затем пристрочите зеленую ленту к сторонам треугольника. Вам придется сложить ленту так, как это показано на рисунке, для того чтобы получился аккуратный угол на вершине треугольника.

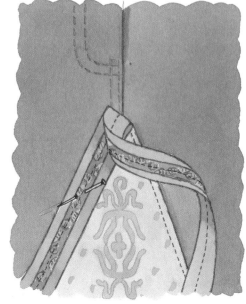

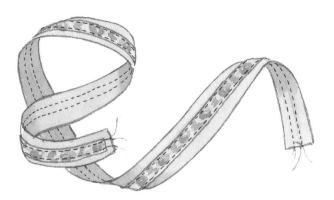

4. Завяжите из кусочка зеленой атласной ленты бант и закрепите центр тонкими стежками, а затем пришейте его к вершине треугольника.

5. Отрежьте кусок ленты с цветочным рисунком, равным двум длинам заднего кармана плюс 10 сантиметров, а также кусок светло-голубой бархатной ленты такой же длины. Пристрочите ленту с цветочным узором по центру бархатной ленты, отрежьте по длине карманов, добавив сантиметр на подгиб. Остальную часть мы используем для оформления шлевок.

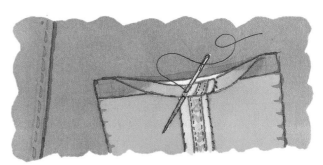

6. Обведите контур одного из задних карманов для создания выкройки. Переведите выкройку на розовую пленку ПВХ и вырежьте два кармана. Пришейте потайным швом бархатно-цветочную ленту вертикально по центру каждого кармана (см. стр. *121*). Оверлочным швом (см. стр. *123*) и нитью в цвет пришейте вставки из ПВХ поверх задних карманов. Старайтесь не зашить карманы.

7. Подверните остаток ленты внутрь кармана из джинсовой ткани и пришейте потайным швом.

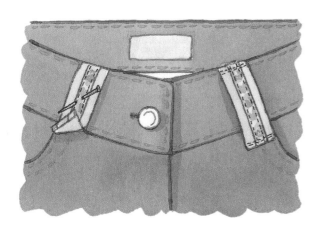

8. Отпорите шлевки от юбки. Из кусочков, оставшихся на шаге 5, отрежьте две полоски такой же длины, что и отпоротые шлевки, оставляя на подгиб один сантиметр. Пристрочите шлевки на место.

Бликующие карманы из ПВХ добавляют современное звучание в этот проект, а также создают контраст с нежными розовыми кружевами, нежной бархатной лентой и лентой с цветочным рисунком.

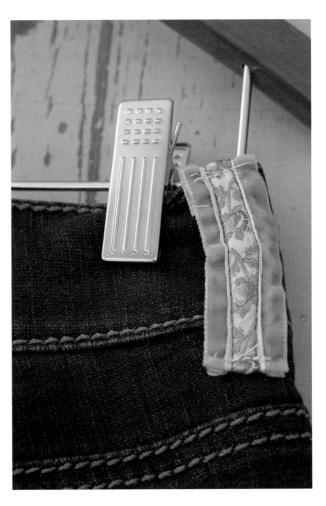

ЗВЕЗДНОЕ НЕБО

Основной задачей этого проекта было разбудить детское воображение через осязательные и зрительные ощущения. Поэтому в оформлении я использовала материалы с различной текстурой: мягкий кашемир и золотую кожу, а также разные пуговицы, бусины и блестки. Малышке понравится водить пальчиком по небу, ловя падающую звезду.

вам понадобится:

Маленькие лоскуты
   оранжевой и голубой
   кашемировой ткани
Маленькие лоскуты золотой
   кожи
3 пуговицы
4 блестки в форме звезды
4 маленькие бусины
4 зеленые блестки

1. Для создания «планет» вырежьте шесть маленьких кружочков из кашемира и кожи. Приколите их на юбку, а затем закрепите их швом вперед иголкой или тамбурным швом (см. стр. *120 и 123*).

2. Пришейте три пуговицы – «луны» и четыре звезды из блесток в свободном порядке.

3. Пришейте бусину или блестку в центр каждой звезды (см. стр. *125*).

ПЛАТЬЕ ДЛЯ ЛЮБИМОЙ МАЛЫШКИ

Это прекрасное платье для малышки, пробующей сделать свои первые шаги. Кому оно может не понравиться? Мерцающая зеленая кошка выгибает спинку, проходя мимо яркого кармашка. Яркое и забавное сердечко на переднем кармашке украшено маленькими красными бусинами.

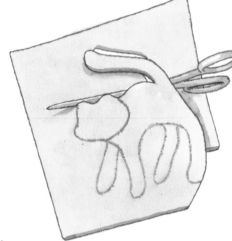

1. Увеличьте выкройку кошки на странице 127 до желаемого размера и, используя портновский мел, переведите его на зеленую фетровую ткань. Прошейте по контуру тамбурным швом (см. стр. 123).

2. Аккуратно вырежьте орнамент. Старайтесь проводить линию среза как можно ближе к шву.

Каждой маленькой девочке нравится немного блеска и мишуры, поэтому простая аппликация из рисунков, украшенная блестками и бусинками, будет безошибочным выбором для украшения платья малышки.

КАК ЭТО ВЫГЛЯДИТ

3. Нарисуйте мордочку кошки и вышейте ее. Для рта используйте тамбурный шов и два маленьких стежка вперед иголкой для глаз (см. стр. 120). Пришейте на тело и хвост кошки блестки (см. стр. 125).

4. Вырежьте квадрат со стороной 10 сантиметров из розового фетра. Подверните необработанные края ткани с блестками и прогладьте. Приложите ткань с блестками к верхней части розового фетра, подверните края ткани под фетр и пристрочите.

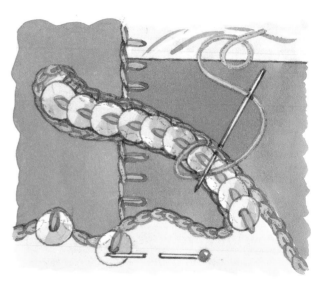

5. Приколите булавками, а затем пристрочите карман к платью, затем оверлочным швом (см. стр. 123) обработайте бока и низ кармана.

6. Приколите кошку к карману, затем закрепите ее оверлочным швом, стараясь попадать стежками в звенья цепочки.

Аппликация – один из самых простых способов украшения одноцветной джинсовой одежды. Если вы вырезаете аппликации из фетра или ткани для одеяла так, как это сделано здесь, то вам не придется беспокоиться о краях аппликации – они не растреплются.

7. Увеличьте выкройку со страницы 127 и вырежьте два сердца из розовой фетровой ткани. Приколите одно на передний карман и закрепите его швом вперед иголкой. По контуру пришейте маленькие розовые бусины.

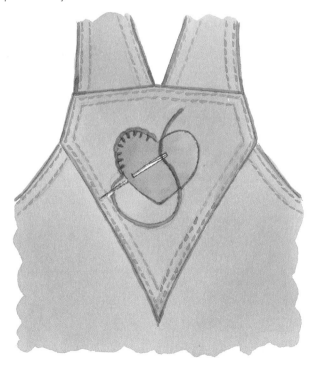

8. Приколите второе сердечко на спину платья и закрепите его оверлочным швом нитью контрастного цвета.

ФАРТУК ИЗ ТЮЛЬПАНОВ

Этот симпатичный фартук с рисунком из тюльпанов может стать прекрасным подарком на День матери. Маленький карман становится цветочным горшком, а тяжелые цветки тюльпана покачиваются, мерцая вверху. Швы достаточно просты, а сам дизайн полностью понятен. Да, а есть какая-нибудь причина для того, чтобы носить блестки на кухне?!

Вам понадобится:

Один задний карман
    от старых джинсов
Распарыватель швов
Узкая зеленая лента
Выкройка со страницы 127
Калька и карандаш
Зеленая шерстяная ткань или
    фетр
Зеленые блестки
Розовый бархат
Игла
Нити для вышивания

1. Распарывателем швов отпорите задний карман от старых джинсов. Приложите спереди на фартук, чуть в сторону от центра, и закрепите на месте потайным швом (*см. стр. 121*). Отрежьте два куска узкой зеленой ленты и пришейте их швом вперед иголка (*см. стр. 120*) так, чтобы они начинались у верхней части кармана и шли под небольшим углом вверх. Одну из лент загните так, как это показано на рисунке.

2. Увеличьте выкройку со страницы 127 до желаемого размера. Перенесите рисунок листьев на зеленую шерстяную ткань или фетр. Вырежьте получившиеся рисунки. Нитью в цвет швом вперед иголкой закрепите листья на месте. Один лист должен выходить вверх, а другой свисать вниз, перекрывая карман. Пришейте ряд блесток вдоль центральной линии каждого из листов.

3. Переведите рисунки цветов на розовый бархат. Вышейте контур листьев тамбурным швом (*см. стр. 123*). Для общего контура и передних лепестков используйте темно-розовую нить, а для задних лепестков – красную. По контуру обоих цветков вышейте несколько линий швом вперед иголкой (*см. стр. 120*).

4. Вырежьте один тюльпан. Старайтесь проводить линию отреза как можно ближе к шву. Расположите цветы у верхних краев стеблей из зеленой ленты и закрепите цветы на месте оверлочным швом (см. стр. 123). Старайтесь попадать стежками в соединения звеньев шва.

КАК ЭТО ВЫГЛЯДИТ

ПРИЕМЫ

Приемы, использованные при исполнении проектов, приведенных в этой книге, очень просты. Они помогут вам быстро и легко добавить индивидуальности вашей джинсовой одежде.

ИСПОЛЬЗОВАНИЕ ВЫКРОЕК И ШАБЛОНОВ

При исполнении нескольких проектов в этой книге необходимо или использовать выкройки, которые вы обводите для получения части орнамента, или переводить на рисунок для вышивки на ткань.

КАК УВЕЛИЧИТЬ РИСУНОК ДО ЖЕЛАЕМОГО РАЗМЕРА

Несмотря на то что многие книги и журналы дают выкройки и шаблоны фактического размера, будет полезно знать, как можно увеличивать их.

1. Во-первых, определитесь с тем, какого размера должен быть орнамент в готовом виде. Например, вы хотите, чтобы некий рисунок был в высоту 10 сантиметров.

2. Затем измерьте выкройку, с которой вы планируете работать. Например, исходная выкройка меньше желаемого размера, и ее высота составляет 5 сантиметров.

3. Возьмите желаемую величину и разделите ее на фактическую величину выкройки. Увеличьте получившуюся цифру на 100. В результате ваших вычислений получилось 200. Иными словами вам нужно увеличить выкройку на ксероксе на 200 %.

УМЕНЬШЕНИЕ ВЫКРОЕК ДО ЖЕЛАЕМОГО РАЗМЕРА

Если вам нужно уменьшить выкройку для того, чтобы готовая вещь была меньшего размера, чем предусмотрено исходной выкройкой, то надо следовать примеру. Например, высота выкройки 5 сантиметров, а вы хотите получить рисунок высотой 2,5 сантиметра. Для этого разделите 2,5 сантиметра на фактический размер (5 сантиметров) и увеличьте на 100. В результате вычисления вы получите 50. Иными словами вам надо поставить на ксероксе 50 %.

КАК СДЕЛАТЬ ВЫКРОЙКУ

Чтобы сделать выкройку/шаблон формы, которую вы хотите перенести на ткань, например кошку со страницы 112, увеличьте (или уменьшите) рисунок до желаемого размера.

1. Мягким черным карандашом переведите рисунок на кальку.

2. Переверните кальку и приложите ее к картону. Обведите кончиком ножа линии контура, переводя рисунок на картон.

3. Вырежьте ножницами или ножом картонную форму. Подложите под картон специальную основу. Теперь вы можете разместить рисунок на выбранную ткань и обвести его портняжным мелом или маркером для ткани, переводя рисунок на ткань.

КАК ПЕРЕВЕСТИ РИСУНОК ДЛЯ ВЫШИВКИ НА ТКАНЬ

Во-первых, увеличьте (или уменьшите) рисунок до желаемого размера. Используя мягкий черный карандаш, перенесите рисунок на кальку.

Если используемая ткань легкая или светлая (хлопок, например), то вы можете прикрепить кальку на световой стол, разместив на кальку ткань лицевой стороной вверх. (Если у вас нет такого стола, прикрепите ткань с калькой на окно.) Важно, чтобы границы рисунка были ясно видны. Теперь повторите контуры рисунка портняжным мелом или специальным маркером для ткани. Вы можете приобрести специальный нестойкий маркер, использование которого позволит вам не беспокоиться о том, что контуры рисунка останутся после завершения вышивки. Единственным недостатком такого маркера является то, что он достаточно быстро выцветает, а значит, линии контура исчезнут в течение нескольких дней. Иным словами, нельзя перенести рисунок, все подготовить и отложить рукоделие в ящик на несколько недель, если вы не хотите возвращаться к пустому прямоугольнику ткани.

Если используемая ткань темная или тяжелая (например, джинсовая ткань), то лучше всего для перевода рисунка использовать портняжную копирку светлого цвета. Просто переведите или скопируйте при помощи ксерокса рисунок на обычную бумагу. Положите на рабочий стол ткань лицевой стороной вверх, сверху положите копирку (красящей стороной вниз), а на копирку рисунок. Теперь вы можете обвести рисунок. Вы также можете использовать копирку и для светлой ткани. Причем для светлой ткани подойдет обычная черная или синяя копирка. Вы сможете отстирать линии, как только закончите рисунок.

ШВЫ

Существуют тысячи различных швов. Некоторые должны быть совсем невидимыми, а другие делаются в исключительно декоративных целях. Далее я привожу самые часто встречающиеся и полезные виды швов, от «соединительных», предназначенных для соединения двух кусков ткани, до швов для обработки края ткани, например оверлочный, а также «заполняющие» швы – гладь.

НАМЕТОЧНЫЙ ШОВ

Наметочный шов используется для временного соединения кусков ткани до того, как они будут сшиты постоянно. После того как куски ткани сшиты, наметочный шов может быть вынут. Для наметки используйте нити контрастного цвета для того, чтобы шов было видно.

Завяжите на конце нити узелок. Сделайте длинный ряд стежков вперед иглой, соединяя все слои ткани.

ШОВ ВПЕРЕД ИГОЛКОЙ

Шов вперед иглой, пожалуй, один из самых простых из всех. Ведите линию шва справа налево.

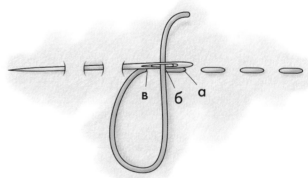

Проколите иглой ткань в точке (а), выведя ее на лицевую сторону. Воткните с той же стороны в точке (б) и верните ее назад (в) на лицевую сторону. Повторите требуемое количество раз.

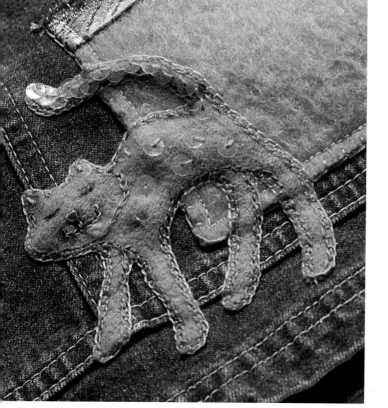

ШОВ НАЗАД ИГОЛКОЙ

Шов назад иголокой позволяет сделать непрерывную линию. Этот шов может быть использован для соединения двух кусков ткани, а также в качестве оформления.
Ведите линию шва справа–налево.

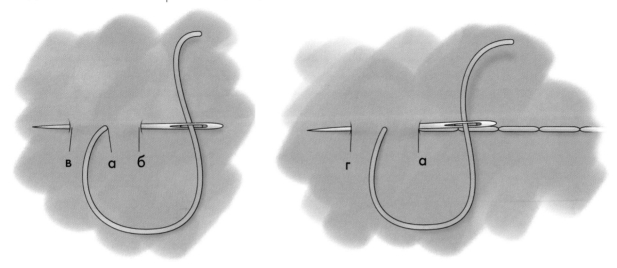

1. Проколите иглой ткань в точке (а), выведя ее на лицевую сторону. Воткните с той же стороны в точке (б), сдвинувшись назад за точку (а), и проколите иглой ткань в точке (в), выведя ее на лицевую сторону левее точки (а). Убедитесь в том, что расстояние между (а) и (б), а также (а) и (в) было равное.

2. Для последующего стежка воткните иглу в точке (а) и выведите ее на лицевую сторону в точке (г). Повторите требуемое количество раз.

ПОТАЙНОЙ ШОВ

Этот шов практически невидим, с его помощью просто закрепить аппликацию на ткани.
Ведите линию шва справа-налево.

Проведите иглу между двумя кусками ткани, выведя иглу на лицевую сторону так, чтобы узелок остался между двумя слоями ткани. Подцепите одну-две нити ткани-основы, затем проведите нить вперед и вверх, делая небольшой отступ вперед, проколите ткань второго куска ткани, вытяните нить. Повторите требуемое количество раз.

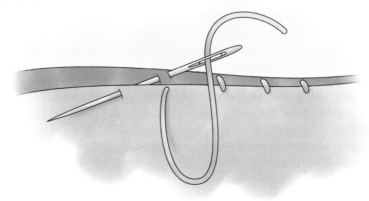

ДЕКОРАТИВНЫЙ ШОВ

Этот шов чаще всего используется для вышивания стеблей цветов. Вы можете вышивать как прямые, так и волнистые линии. Каждый стежок этого шва наполовину заходит на предыдущий. Ведите линию шва слева–аправо.

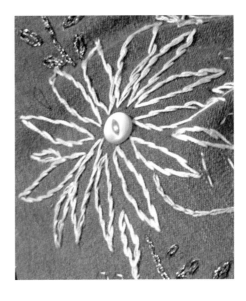

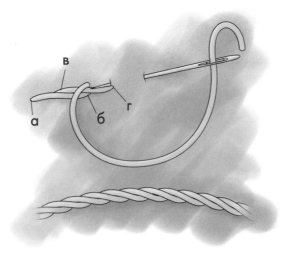

Выведите иглу на лицевую поверхность ткани в точке (а), затем проколите ткань в точке (б). Выведите иглу на лицевую поверхность ткани в точке (в), находящейся на полпути между (а) и (б), и верните ее вниз в точке (г).

ШОВ ГЛАДЬЮ

Шов гладью используется для «заполнения» внутренней части листьев и лепестков цветов. Необходимо делать стежки очень близко друг к другу, таким образом, чтобы не было видно ткани. Ведите линию шва слева–направо.

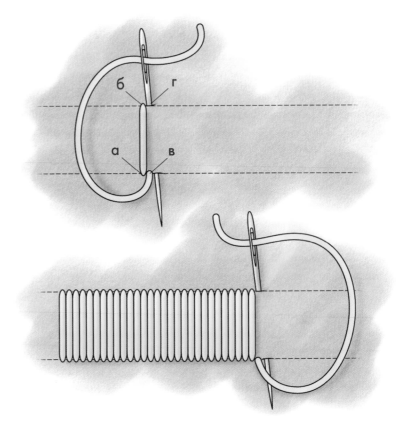

Выведите иглу на лицевую поверхность в точке (а) и вниз в точке (б). Выведите иглу на лицевую поверхность в точке (в), делая стежок так, чтобы не было видно ткани между точками (а) и (в), и верните иглу на изнаночную сторону (г). Повторите требуемое количество раз.

ОВЕРЛОЧНЫЙ ШОВ

Оверлочный шов первоначально использовался для обработки краев шерстяных одеял для того, чтобы они не махрились.
Ведите линию шва слева–направо.

Выведите иглу на лицевую поверхность ткани в точке (а), воткните иглу в точке (б) и выведите иглу на лицевую поверхность в точке (в), формируя петлю под иглой.

ПРИМЕЧАНИЕ. Если вы обрабатываете таким швом край ткани, то протыкайте ткань только в точке (б), выводя стежки на лицевую поверхность «по воздуху», чтобы переплетающаяся линия шва закрывала край ткани.

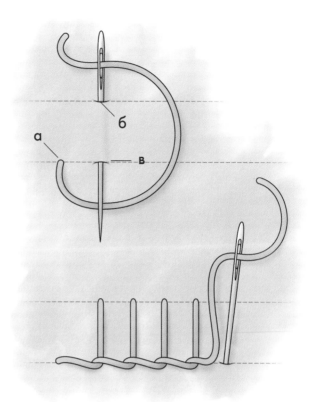

ТАМБУРНЫЙ ШОВ

Тамбурным швом можно вышивать прямые или волнистые линии, поэтому его можно использовать при вышивании цветов и стеблей листьев, а также для создания контура рисунка.
Ведите линию шва справа–налево.

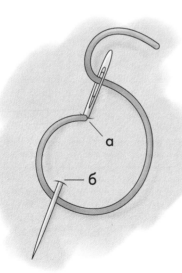

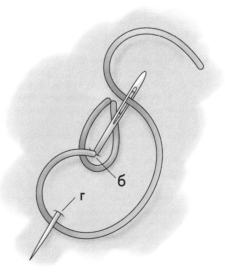

1. Выведите иглу на лицевую поверхность в точке (а) и воткните ее в той же точке, создавая петлю под иглой, выводя иглу в точке (б).

2. Верните иглу в точку (б) – внутрь петли, созданной первым стежком. Выведите на лицевую поверхность иглу в точке (в). Повторите требуемое количество раз.

КРЕСТ

Крестики часто вышиваются на ткани – канве, где вы можете считать количество нитей для того, чтобы длина стежка и расстояние между крестиками были одинаковыми. Если вы вышиваете крестики на джинсовой или иной похожей по текстуре ткани, старайтесь добиться того, чтобы обе палочки креста были одной длины.

Вышиваем отдельно стоящий крестик

Отдельно стоящие крестики располагаются в свободном порядке на куске ткани. Такие крестики являются быстрым и простым способом расцвечивания и декорирования вещи. В зависимости от цвета нити такие крестики могут выглядеть как цветы, звезды или снежинки.

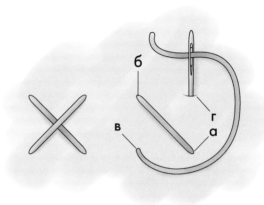

Выведите иглу на лицевую поверхность ткани в точке (а) и проколите ткань вниз в точке (б), верните иглу на лицевую поверхность в точке (в) и проколите вниз в точке (г).

Линия из крестиков

Линии из крестиков часто вышивают для заполнения участков рисунка. Этим способом можно также подчеркнуть контур рисунка.

Ведите шов справа–налево.

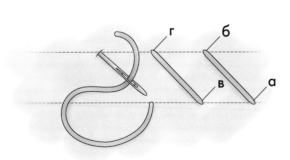

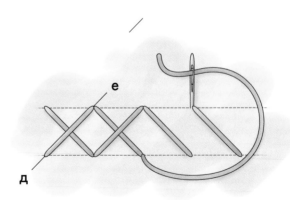

1. Выведите иглу на лицевую поверхность ткани в точке (а) и проколите ткань вниз в точке (б), затем наверх в точке (в), вниз (г) и так далее до тех пор, пока вы не получите левую наклонную часть линии крестов.

2. Выведите иглу на лицевую поверхность ткани в точке (д) и проколите ткань вниз в точке (е) так, чтобы стежок пересек один из стежков линии. Так у вас получится крестик. Повторяйте до тех пор, пока не достигнете правого края линии.

УКРАШЕНИЯ

Существует множество вариантов оформления ткани – от пуговиц и бусин до декоративных тесемок.

КАК ПРИШИТЬ БЛЕСТКИ

Поскольку стежок виден, вам нужно решить, какого цвета использовать нить: в цвет или контрастного цвета. Контрастный цвет нити добавит декоративного эффекта.

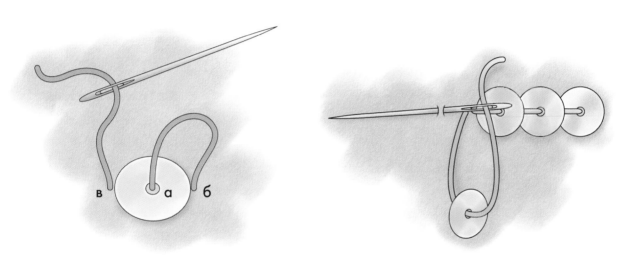

Выведите иглу на лицевую поверхность ткани в точке (а) и нанижите на иглу первую блестку. Проколите ткань вниз в точке (б), расположенной у правого края блестки. Выведите иглу на лицевую поверхность ткани в точке (в).

Для создания линии блесток проводите ряд блесток справа–налево. Расстояние между (а) и (в) должно быть равным ширине блестки. Пришивайте блестки так, чтобы они чуть-чуть соприкасались.

ВЫКРОЙКИ

Вы можете увеличить эти выкройки до желаемого размера, следуя инструкциям на странице 118.

«Бэби фэйс» (Baby face)
со страницы 10

Древо жизни для юбки
со страницы 102

Мак для куртки
со страницы 80

**Рисунок птицы куртки
с татуировкой**
со страницы 76

**Рисунок сердечка
платья для малышки**
со страницы 112

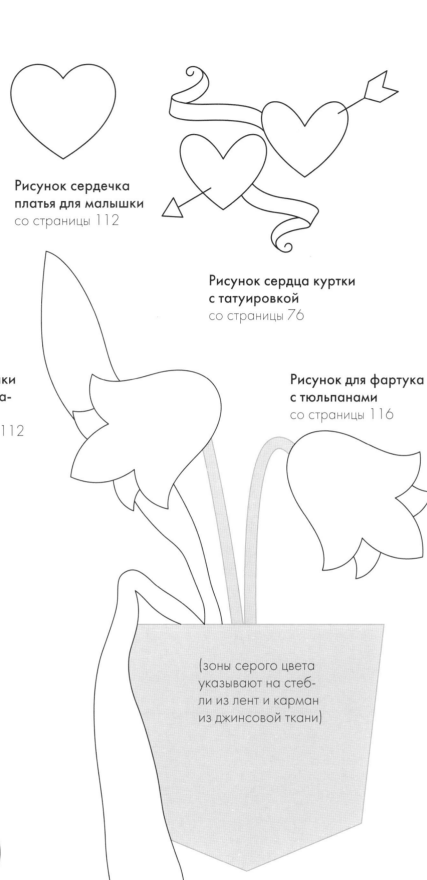

**Рисунок сердца куртки
с татуировкой**
со страницы 76

**Рисунок кошки
платья для малышки**
со страницы 112

**Рисунок для фартука
с тюльпанами**
со страницы 116

(зоны серого цвета
указывают на стебли из лент и карман
из джинсовой ткани)

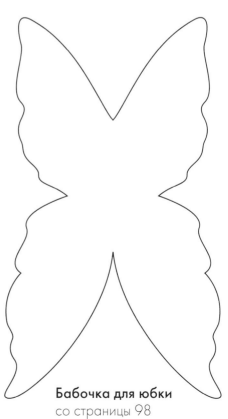

Бабочка для юбки
со страницы 98

АЛФАВИТНЫЙ УКАЗАТЕЛЬ